구름카페문고·28

꽃이어라!

🅜문학관books

꽃이어라!

●

인쇄일 · 2021. 11. 25.
발행일 · 2021. 12. 1.
지은이 · 한기정
펴낸이 · 이형식
펴낸곳 | 도서출판 문학관

등록일자 | 1988. 1. 11
등록번호 | 제10-184호
주소 | 04089 서울시 마포구 독막로 28길 34
전화 | (02)718-6810, (02)717-0840
팩스 | (02)706-2225
E-mail | mhkbook@hanmail.net

책값 · 10,000원

ISBN 978-89-7077-633-0   03810

구름카페문학상 수상자

쉼표를 찍는 때

구름카페 문학상.
이름이 참으로 예쁘다.
향기가 있다.

지나온 시간들을 되짚어 보았다.
엄마가 아닌 시간이 35년,
엄마로 산 시간이 35년.
대학 졸업 후
현장에서 고유의 연구를 하며
얻은 지식들을 강단에서 전한 시간이 35년,
중심에 '나'를 놓고 산 시간이 35년.

절묘하다.
그 시간들은 내게
자기 훈련과 책임과 참음과 기울어지지 않음과 앞으로 나
아감을 요구했고

그로
긍지의 단단한 충만함을,
사는 것의 소소한 재미를,
안목의 두터움을,
침묵의 필요를 터득했다.

이제 커다란 쉼표를 찍고,
남은 시간들을 알차게 보낼 숙제를 챙긴다.
도전이며 마무리이고
선선한 아름다움이 되었으면 한다.

2021년 비가 내리지 않는 무더위 속
목마르게 기다리나
꾸물댈 뿐 결코 올 것 같지 않은
비를 기다리며
강변공원에서.

| 차 례 |

발을 적시며

여기에,

이야기들…

조촐한 축배로

조촐한
축배로

누구나 가는 길

늙어서 외로운 거래
깜짝! 놀랐다
내가 외로운 것은
여자형제도
이모도
딸도
없어서라고 여겼는데
누군가를 짝사랑만 했지
무엇을 함께 나누자고
어리광 부릴 용기가 없어서라고 여겼는데
이주엽*도 '외롭게 늙어가는 거'라는 것을 보니

늙어 외로운 것은
필연이자
운명이자
생리인가 보다

엄마는 외롭다고 쉴 새 없이 노래를 하고
난 듣는 게 힘들어 지겨웠는데
이제 나도 그렇게 될 거란 말인가
아들을 진저리치게 할까봐
두려움이 앞선다.

* 이주엽/ 대한민국 아티스트

겨울나기

정원이 황량해지고 있습니다.
여름 내 재잘거리던 분수가 물러난 자리에
썰매를 맨 루돌프 사슴이 번쩍여도
겨울바람은 건조하고 을씨년스럽기만 합니다
아침 비추는 햇살도 잠시
윤기 잃은 땅에서
억새들은 스~스 어깨를 비비고
화초들은 성급니다

허나
겨울은

준비의 시간
잉태의 시간
칩거를 정당화하므로
벅찬 새날들을 더욱 찬란하게 할 시간입니다

어릴 적엔
뜨개실 바지를 입고도
시린 종아리를 동동거리며
겨울이 마냥 지루하기만 하더니
이제는 보입니다
꺼칠한 겨울의 속살에
터뜨릴 작은 씨앗이 숨어 있는 것이

밤새 기온이 영하로 떨어진다기에
바깥의 화분들을 비닐로 싸매주었습니다
겨우내 물은 주지 않을 요량입니다
섣부른 물주기가 화초를 얼어 죽게 하기 때문입니다

견디는 겁니다
겨우내

끌탕하지 않고
숨을 아끼며
날을 기다리는 겁니다
얼음과 바람에 맞서지 않고
속을 달래며 기다리는 겁니다
추위가 기승을 부릴수록
에헤- 꽁지 뺄 날도 멀지 않았구만!
내심 쾌재를 올리는 시늉을 하며
몸에서 힘을 빼고 견디는 겁니다
맡기는 겁니다
대한민국이 알라스카 북쪽으로 이사하지 않는 한은
기필코 봄이 오기 때문이지요

설혹
봄이 다시는 오지 않는다 하더라도
열심을 내었으면 그만입니다
그것으로 되었지요

얼어 죽지 않고 살아남은 작은 뱀 같던 상처는
일상이 되고

실뱀이 되는 듯싶더니
엎드려 지낸 시간들에 부르르 몸을 떨며
대가리를 빳빳하게 치켜들고
곤두서는 비늘들을 아예 긁어내고파 안달입니다
이제
정면을 노려볼 용기를 내는가 봅니다
비로소 흉터가 되려는 것일까요

바람 빠진 풍선 같던 자존이 발을 구릅니다

탕,
타당 탕!

〈현대수필 2019년 봄호 게재〉

묵은지

돌이켜보면
용서 못할 일도 이해하지 못할 일도 없건만
사실들은 이미 탈골되었는데도
느낌은 아침 일처럼 생생하다

서러움은
속눈썹에 맺혀
봄날의 고드름 방울처럼 소리를 내고
가슴 어딘가에 웅크리고 있다가
먼지를 일으키며
딸꾹질을 한다

모두 내 탓이란 생각에
속 깊이 가라앉아 있던 앙금들이
성난 사자의 갈기처럼 솟구치는
가누기 어려운 날도 있다
손아귀에 잡힌 '지금'을
미련한 순수함, 선한 인간에의 무모한 열정, 자신이 부서
지는지도 모르고 끌어안으려던 가치와 그 괴리에서 온 것으
로 해석하고
분한 마음을 젓는다

지난 시간들을 웃어넘기기에는
속이 살아있고
뇌에 먹물이 가득한 탓인지
속절없는 중년의 우울증인지
술로 풀며 길바닥을 설설 길 용기도 없어
삭힐 길이 없기 때문인지
괜한 뇌의 궁상인지

삶은
곰삭아야 맛이라지만

묵은지 말고

겉절이 마냥

날 것으로 살아봐도 좋겠다.

옛 노래

통기타를 든 그는 섬세한 턱선을 가진 예전의 젊은이가 아
니다
세월을 담아
손도 투박하고 안경 밑 눈가도 부드럽다
그래도 여전한 고운 목청은
내 대학 초년시절
대한민국 세상 이 끝에서 저 끝까지 모두가 흥얼거려
저절로 귀에 들어와 입에 달고 살던
노래들을 던진다
사랑스런 그대
우리들의 이야기

라라라

덩달아 열아홉 살로 돌아간 나
서툴지만 무엇이든 그릴 수 있었던 시간들을
귀히 여기지 못한 것이
원치 않는 일에 등 떠밀려 허둥댄 것이
새삼
절절하다

우리는 결과로 통찰을 얻곤 한다
그나마 다행인가
훗날
어쩌면 이미 너무 늦은 시각에
돌아보거나
그것조차도 어렵거나
왜곡된 것을 믿어버리거나
하는 것보다는

어차피 인생은 일회성이고
역주행은 있을 수 없으니

앞으로
앞으로
나아가
이 골목 저 골목 기웃대지만
언제나 설다
숱한 어리석은 행동과
미련한 생각과
극히 짧은 스타카토 즐거움을 만발하며
빠르게 달리는 열차의 풍경을 날려버리듯
단단한 행복은
쥘 수가 없다

즐거움조차도
당장은 즐거움인지 알지 못한 채
맘껏 즐기지도
혹은 지나치게 즐겨서
손가락 사이로 흘러버린다
그럼에도
애달픈 일들은
깨진 창으로 던져진 날카로운 돌멩이 마냥

쉽사리 발밑을 떠나지 않기 마련

신이 허용한다면
대학 합격소식을 듣고
한 치의 어긋남도 없이 엄마와 부둥켜안으며
터질 듯한 희망을 품었던
그 완전의 순간으로 돌아가
두 발을 굴리며 다시 시작해보고 싶다

맞춤한 때
아름다운 때이니
무모하도록 순진하지도 말고
두려움이나 연민으로 곡해하지도 않고
날것 그대로 볼 수 있는
고양이의 눈을 가지고.

〈현대수필 2020년 겨울호 게재〉

용서를 구하는 나에게

젊음을 낭비한 죄
꿈을 꾸지 않은 죄
연민에 책임을 진 죄
실수를 인정하지 않은 죄
미련함을 순수로 착각한 죄

이명으로 가슴앓이로 곁을 떠날 줄 모르던 끓는 함성이
이제야 바래는지 부러 해마*에서 끄집어내지 않으면 항구
를 떠나는 뱃고동처럼 멀어지곤 한다. 그 때 내 나이인 젊은
이가 고백한다면 등을 다독이며 별 거 아니다, 풍성한 사람
이 되려하는 게다, 너 자신을 나무라지 마라, 하겠지. 멀리

와버린 덕분인지 쇠약해진 육신의 탓인지 내 청춘의 시간과 화해를 위해 악수를 청하려 한다. 잊으라. 행여 누가 양심불량자라 손가락질할까 두려워 어쩌지 못하는 기름기 없는 기억의 봇짐을 던져버리라. 지금, 이 시간을 즐길 날이 지난날보다 짧다. 지금, 이 순간을 즐긴다 해도 미안할 것 없다. 살다보면 뒤틀린 운명도 만나고 본의 아닌 해악질도 있는 법. 나름 최선을 다했으니, 누군가를 고의적으로 해코지한 적은 없으니 되었다.

 * 해마/ 해마체의 다른 이름. 학명 Hippocampus. 대뇌변연계의 양쪽 측두엽에 존재하며 기억을 담당한다. (위키피디아)

이별의 때

최백호*는 차라리 겨울에 떠나라고 권하지만
이별의 때가 따로 있나
적절치 않은 때가 없고
적절한 때 또한 없으니

바람이 휘파람을 불어도
태양이 E컵 여인처럼 의기양양해도
개운하게 눈을 뜬 아침에도
들뜬 여행 뒤에도
떠나려면 떠나는 거지

맨발로 서두르기도 하고
구슬픈 영화의 주인공인 양 분위기가 앞서 오기도 하지만
대부분 예고 같은 것이 있을 리 만무하고
조짐을 비웃기라도 하듯
이별은 때를 모른다

떠나는 사람은 언제든 짐을 챙기고
누구는 남아
등을 지켜보기 마련이다

그저 마음 내킬 때 떠나라.

* 최백호/ 대한민국 작곡가이며 가수

〈현대수필 2015년 가을호 게재〉

물에 빠지다

날이 선선해져 산에 올랐다.

미처 생각지도 못한, 그러나 다른 사람들은 이미 예상했을 흐드러진 단풍을 만난다. 나무들은 자연이 보일 수 있는 가장 고상한 색을 두르고 처연한 아름다움을 뽐는다. 바람에 흔들리며 수선스러운 사람들의 수다에 미소 지을 뿐이다. 곧 사라질 것이기에 더 의연하다. 지난 해 떨어진 마른 잎들은 발밑에서 아프게 속삭인다.

오대산 진고개에 올라서자 눈 아래에 구릉이 평야처럼 펼쳐지며 시야가 시원하다. 하늘은 구름 한 점 없이 짙푸르고 땅은 옅은 갈색으로 물이 들었는데 멀리 보이는 사람들은 개미처럼 꼼지락거리며 능선을 향해 무지개띠를 만든다.

산을 오를수록 공기는 축축해지고 노인봉은 구름에 쌓여 동해가 어느 쪽에 있는지 가늠이 어렵다. 구름이 겨드랑이를 떠받쳤는지 그 속에 내가 있다.

유순한 계곡을 따라 걷는 길은 나무들 사이로 겨우 빗기며 번지는 햇살과 그 주변에 피어오른 안개구름으로 꿈길이다. 영화 '반지의 제왕'에서나 볼 광경이다. 피와 살은 어디로 가고 발이 공중을 난다. 오색의 숲은 솜털 같고 여기저기 멧돼지 똥내가 푸근하다. 마음이 머리 꼭대기에 두둥실 떴다.

룰루랄라 게으른 산행이 될까봐 경고하는 듯 잊을만하면 건너야 할 개울이 나타난다. 물살이 급하지도 않고 물 떨어지는 소리가 소란하지도 않지만 바위를 딛고서야 건널 수 있으니 모험이다. 바위는 크고 작고 매끄럽고 투박하고 멀고 가깝다. 아예 물에 빠질 요량을 하면 겁낼 것도 버틸 것도 없건만 행여 빠질세라 온몸에 힘이 들어가고 발을 옮길 때마다 주춤거린다. 미끄러져 빠지고 다리가 짧아 빠지고 내디딜 곳이 마땅치 않아 빠진다. 다행히 다치지는 않으니 한 번 개울을 건널 때마다 탄성이 절로 나고 사춘기 소녀처럼 가슴을 설렌다. 무사히 건너고는 내심 으쓱! 한다. 곱기만 할뿐

만만한 산행에 긴장의 매력이 실리며 명랑해진다.

십 삼세 소년 시절부터 산타기에 이골이 난 남편이 개울에
빠진다.

바지 밑단이 짙은 색으로 변하고 엉덩이에 팬티 자국이 난
다.

그러려니 한다. 걷다보면 마르려니 한다.

또 빠진다.

그럴 수도 있겠거니 한다. 그러나 조금 신경이 쓰인다.

그런데 또 빠진다.

이제는 걱정이 된다.

이제부터는 산에서 술 마시지 마, 하고 오금을 박는다.

말은 그렇게 하면서도 내심 속이 상하고 마음이 짠~~ 하
다.

저 사람도 이제 늙었나. 내놓고 마누라에게 맥 떨어진 것
을 보이기 싫어 버티느라 온몸이 뻣뻣해져서 그런가. 예전과
달리 얼마 전부터는 배낭에 넣어야 할 짐이 많으면 무겁다며
물도 적게 담고 밥도 조금만 싸라더니 그게 조짐이었나.

내 눈에는 아직 청년인데 세월은 비웃음이다.

허긴 이미 지공대사*인데, 국가가 인정한 노인인데. 공짜 지하철 타는 것만 좋아했지 막상 인정해야 할 일에 무심했는가 보다. 공짜 지하철카드는 그냥 주는 것이 아닌가 보다. 노인세계로의 진입 자격증.

남편 따라 산에 다니길 10여 년. 그 어느 때도 경험해보지 못한 최고의 절경과 만나며 가슴이 환희로 서늘하고, 또한 자꾸 물에 빠지는 길벗을 보며 안타까움으로 다른 마음 한 구석이 또 다르게 서늘하다.

* 지공대사/ 지하철을 공짜로 타는 노인을 이르는 유행어

이천여 날들

흘러간다
구름을 인 하늘도
반짝이는 잎새들 사이의 시간도
언덕 위의 마른 모래들이 뒤척이는 소리도

가족 해체가 시작된 2013년 여름,
J는
미래를 채비하기 위해 떠나고
나는
빈자리를 못 견뎌
이사를 단행하고

보태

2014년 가을부터

D와

반복되는 헤어짐의 일상 속에

나는 의연해야 한다고 스스로에게 이르고 또 이르고

또 이사를 하고

또 이사를 하고

2016년이 시작되는 겨울,

곧 봄이 들어설 겨울의 끝자락에 결국 삶의 손아귀에서
질식해버린 엄마는 병원으로 숨어들고

공연한 생각들이 머릿속을 헤집지 않도록 버티는데

매 끼 단백질, 탄수화물에 붉은 포도주까지 따져 챙기는
데

홀몬이

신경전달물질이

자율신경계가

비웃는지

수시로 침몰과 부상을 반복하더니

올 들어서는

텅 빈 두개골 마냥
별빛을 잃고 얼얼하다

그 여름, 팔월의 그 곳은 후끈하고 낯설었다. 사막에서 말
탄 카우보이를 만나겠거니 엉거주춤 들어선 그 곳은 태양볕
아래 황금빛으로 세련되었다.

J는 땅을 디디고 무릎을 세워 공부를 하고 논문을 쓰고
밥을 해 먹고 수입과 지출을 맞추고 살아내며, 학위를 받고
연구자로 첫발을 내딛는다. 지금, 또 다른 시작점에 서서 멀
리 보이는 시계탑을 마주한다. 시간 맞춰 울리는 종소리처럼
가슴 속 울림이 뎅그렁~~ 뎅그렁~~. 기대와 아쉬움과 두
려움과 함께. 그러한 것들은 생애 어느 때에나 있는 것. 오
월의 그 곳은 끝없이 펼쳐진 앙바틈한 풀꽃 들판으로 술렁
인다. 오년의 노고를 치하하려는 듯. 석별의 섭섭함을 떨치
라는 듯.

잊을 수 없지, 그리울 거야
사랑해, 걱정 마. 더 나은 것들을 만날 거야
독수리처럼 날아 다시 네게 올지도 몰라
작별을 하고 돌아서며 J는 그의 길로, 나는 나의 길로 간

다 함께 하지 않는 길이지만 함께 하는 길임을 또한 안다

어디에 있더라도 설사 그 곳이 천국이라 할지라도 우리는 헤어지는 법이 없지

그리움이 뭉게구름처럼 피어오르기도 하고

그 놈을 상자에 꾹꾹 눌러 담느라 애를 태울지도 모르지만

기다릴게, 또 날들을 늠름하게 보낼게

D의 귀환을 손꼽지 않으려고

끝 모르는 듯 하염없이 지내다가

뜻하지 않은 선물을 받은 양 화들짝 놀래려고

너무 기다리다가 질려버리지 않으려고

우리가 함께할 오십 년의 십 분의 일을 D는 너무나도 힘겹게 열정을 바치고, 나는 망연히 지켜보며 기도하는 법을 배운 셈. 익숙해지는 듯하다가 풀썩 주저앉기를 반복한 이 시간들을 냉정히 뒤로 할 거야. 영원한 아듀! 온 힘을 다해 의젓하려 했기에 더욱 뻣뻣했던 어리석음을 가끔 되돌아보겠지. 우스울까? 정말 내 의연한 척이 D가 잡념없이 일하는데 도움이 되었을까?

남은 시간들이 너무도 소중하겠지. 그것을 얻은 거야, 무엇이 소중한지 세포로 알게 된 거야.

붙박이장처럼 자리를 지키는 엄마에게 들렀다 오면 호흡이 느려진다. 잊을만하면 또 들러 내 울적함을 재확인하는 시간들의 실상. 실상. 실상. 뼈까지 쇠약해지는 때, 순간의 만남을 위해 더듬더듬 옮기는 발걸음. 그리고 예외 없는 먹먹함.

그렇게 시간이 간다
그렇게 흘러간다
오스틴*에서 에반스턴**으로
또 다시 어딘가로 흘러갈 준비를 한다
갑천***을 떠나 한강으로,
영원히 내 곁에 머무를 듯
즐겨야 할 날들을 위해 스며든다
한 시대가 마무리되고 새날의 먼동이 터오니
소슬한 속삭임에서 귓바퀴를 닫고
콜타르 명치를 태워 재를 날리리라
순백해진 공간을 맘껏 부풀리며 들숨과 날숨을 고르게 하자

당장 코앞의 일매듭을 풀기 위해서가 아니라 생명 있는 날들을 간직하기 위하여

　　아, 지구의 하늘 아래 함께 있음에도 나는 왜 그토록 서성였나 왜 이토록 서성이나 사랑하는 이들이 화성에나 있는 듯 나 홀로 화성에나 있는 듯 설혹 화성이면 어떠랴 명왕성이면 어떠랴 내 피 속에 있는데
　　비나 왔으면
　　세차게 바람이 불며 비가 왔으면
　　유리창에 부딪히는 빗방울들과 조우했으면.

* 오스틴 Austin/ 미국 텍사스주의 주도. 텍사스주립대학교가 있다.
** 에반스턴 Evanston/ 미국 일리노이주의 도시. 노스웨스턴 대학교가 있다.
*** 갑천/ 대전시에 있는 강.

〈현대수필 2019년 가을호 게재〉

백 년인들 못 살까

D가 돌아왔다.

오 년 근무를 마치고 지친 발걸음으로 돌아왔다.

나는 드디어 일기도 써지고 글도 써진다. 일기는 무려 일
년 육 개월 동안 단 한 글자도 쓰지 못했다. 저울에 납덩이
를 쌓듯 나날이 무거워지는 그를 지켜보며 내 머릿속도 차
츰 오래된 젤리처럼 엉키기 시작했다. 사색은 어두운 동굴
에 갇힌 안개마냥 비린내를 풍기고 몸은 옆구리에 검은 곰
팡이를 잔뜩 낀 두꺼비처럼 축축한데, 마음은 메마르고 성
말라져 온통 자욱한 잿빛이었다.

퇴임을 앞둔 D를 기다리며 이제는 쉬게 해 줄 수 있겠구

나, 아련한 분홍빛 기대가 고개를 들기 시작한다. 강렬하지는 않다. 아주 옅고 불안한 분홍빛이다. 봄을 지키다 지친 진달래처럼 먼지 낀 분홍색. 싸우지 말고 잘 지내야 하는데, 둘 다 편안해야 하는데 하는 염려도 함께다. 행여 내가 D를 삼식이* 취급할까봐 두렵다.

잠이 든 D를 태운 채 경부고속도로를 내달린다. 멀어질수록 잿빛의 염려를 빨리 떨굴 수 있을 것처럼 쉬지 않고 두 시간 남짓 달린다.

무엇보다 요람을 만들어 주리라. 순한 아기가 먹고 자고 먹고 자며 저절로 자라는 새하얀 레이스가 나풀대는 요람을.

아무 때나 자고 깨고, 마주앉아 밥 먹으며 노닥거리고, 함께 장보러 가고. 영화 보고 드라마 보고. 분위기 있는 레스토랑으로 나가 늘그막에 데이트하는 할배할매 시늉도 하고. 오렌지빛 해 기우는 시각, 현충원에 들러 낯모르는 묘비들 곁에 앉아 살았으면 우리 부모 나이가 됐을 그들의 차가운 에메랄드빛 운명을 안타까워하기도 하고.

시간이 갈수록 차츰 염려는 흩어지고 안도가 자리를 비집는다.

푸르른 하늘 아래 누워 몽롱한 선잠에 드는 것처럼.

이렇게 백 년인들 못살까.

전화를 오래하려면 눈치가 보이고 혼자 외출을 하려면 어린 아들 떼놓고 나가는 것처럼 주춤거린다. 밥을 둘이 먹으려니 일은 두 배로 늘었다. 소파와 혼연일체가 되어 신문을 읽던 시간은 현저히 줄었다. 반복되는 일상에 살살 꾀가 난다.

조심스레 가꾸고 있는 공기가 바이올린의 현처럼 떨릴 기색이면 갈빛 사막에 덩그러니 놓였던 때의 황량함이 살아난다. 의사에게서 위험의 경우들을 설명 들으며 내 수술을 남의 수술인 듯 준비하던 장면이 떠오른다. D는 일에 묶여 내 곁을 지킬 수 없고 설혹 내가 죽는다 하더라도 장례 후 저녁 기차로 돌아가야 했으리라. 그의 일은 너무도 촘촘하고 치밀하고 팽팽했다. 수술 후, 나는 구석에 새빨간 딸기를 새긴 하얀 수건을 흠뻑 적시며 눈을 뜨는 아침마다 오롯이 혼자 서야만 하는, 칭얼거릴 수 없는 처지임에 내심 겁을 먹고 있었다. 두터운 검은색 긴 모피 코트를 입은 채 얼음물 속으로 잠기는 듯 떨치기 힘든 휘감는 두려움이랄까.

잊어야지.

이제는 무겁게 짓누르던 코트를 벗어야지.

D가 집안일을 돕기 시작한다.

부엌에서 딸그락거리면 자기 방에서 슬그머니 나와 뭐 도울 거 없나? 한다. 도울 게 뭐 있나? 대꾸하며 일을 계속하면 곁에 서서 휘~ 둘러보다가 쌓인 설거지거리를 슬슬 씻어 엎어둔다.

이것은 배려다.

함께 평화로우려는 의지며 노력이다. 마음이 움직이는 것이다.

이것은 빛이다.

투명해서 색이 필요없는 아니, 세상의 어떤 색으로도 표현할 수 없는, 색과는 개념이 다른, 빛이다.

존재로만 이야기할 수 있다.

어찌 이렇게 백 년인들 못살까.

어찌 이렇게 천 년인들 못살까.

살그머니, 나른한 뭉게구름 틈새로 황금빛 바늘이 고개를 내밀며 속삭인다.

너무 고요해, 너무 평온해!

그게 전부는 아니야!

두고두고 기억될 시간임에는 틀림없지만 한 걸음 더 나아가야 해!

삶은 조금쯤 출렁여야 해!

* 삼식이/ 하루 세끼를 모두 집에서 먹는 남편을 이르는 유행어. 살짝 비방의 뉘앙스가 담겨있다. 심하게는 삼식이XX라고도 한다.

〈현대수필 2020년 여름호 게재〉

이불 속에서 '건배!'

잔 속에 무엇이 담겼는지
생각할 여유도 없고 형편도 아니다
혀에서는 달큰하고 목구멍에서는 알싸하다
시간이 지나며
위장을 뒤틀고 뇌를 어지럽힌다
술주정을 않는데도
미움을 받고 억울한 소리를 들어
눈물과 함께 마신다
성배는 아니어도 독배는 아니었으면 좋겠는데
눈물을 마셔서인지
심장까지 요동친다

잔은 내려놓을 수 없으니
항간에서 말하는 긍정의 약제도 함께 먹는다
진정 원하는 것을 알고
그것이 극단적인 것 또한 알기에
끊임없이 최면의 흥을 돋운다
성실이라든가 치열함이라든가 공의로움이라든가 공정이라
든가
이런 단어들을 책에서 건져내
옆구리에 끼고 살려는 어리석음은
독을 더욱 진하게 할 뿐 보탬이 되지 못한다
헤퍼도 실실 웃음을 흘리며
폭탄주도 소주도 고량주도 위스키도 보드카도 넘겨야 하는데
알코올 분해도가 낮아 얼굴이 붉어질 뿐이다
바람직한 것이야
뱃속에서부터 솟아오르는
태생의 축배를 드는 것이지만
허락받은 바 없다
멈출 수 있을 때까지 마실 뿐이다.

〈수필집 『울 것 같은 그녀와』에 게재〉

사년 전 절실했던 축배의 잔을 아직도 엉거주춤 들고 있다. 서성이고 맴을 돌뿐 힘차게 목청을 높여 '건배!'를 외치지 못한다. 팔뚝의 힘이 슬슬 빠지고 단정한 축배가 아니라 손아귀 안의 잔이 부서져 선혈을 둑둑 듣는 축배를 원하던 열기는 잔 바닥에 누룽지가 되었다.

잔잔히 흐르는 시냇물 같은 축배가 내 것인데 잠시 객기를 부렸나.
송사리 때를 품고 작은 둥근 돌들을 어르고 맑은 물소리를 속삭이는 그런 축배가 내 맞춤인데 뻔한 결단을 유보하고 있나.
이미 쭈그러든 잔을 미련으로 엉거주춤 섬기고 있는가.

격렬하든 잔잔하든 축배는 높게 치들게다.
과거는 과거의 벽에 못질을 해 박아놓고
다가오는 시간들을 지그시 품에 끌어안기 위해서라도,
이제는 쓸데없이 곁을 내주지 않기 위해서라도.

아니, 이미 조촐한 축배를 들고 있는지도 모른다.
매일 밤 다짐과 주문을 외우므로 슬그머니.

이불 속에서 '건배!'

〈2019년 서초수필회 동인지 '이해하며 바라보기' 게재〉

여러 경우의 결혼방정식

결혼이란 두 사람이 만나 현재를 살며 미래를 꿈꾸는 일이다. 자식을 낳으므로 자연에 동참도 한다.

결혼을 유지하기 위한 필수요소에는 신뢰와 인내, 관심, 연민, 애정, 문화 등의 무형적 가치와 자식과 재물, 성적교합 등의 구체물이 포함된다. 이 요소들이 더해지고 빼지고 곱해지고 나뉘면서 얽히고 설켜 각 가정 고유의 문화가 구축된다. 이들은 물건의 안팎과 같아서 어느 것 하나가 부실하면 결혼이라는 관계식의 성질이 달라진다. 테두리 안에서 진정한 가족이 되지 못하고 그저 뿔뿔이 흩어져 이름으로만 가족으로 남아 서로 겉돈다. 낯선 남과 그다지 다르지 않게 데면데면할 수도 있지만 잘못하면 원수도 된다.

방정식으로 결혼의 형태를 규정해본다.

1+1⟨1

이렇게 시작되는 결혼은 드물지만 간혹 확신이 없으면서 진행되는 경우에 해당된다. 확신은커녕 갈 데까지 가보자, 하는 심정으로 하는 결혼도 있기 마련이다. 사랑하지 않으나 단지 필요해서, 이미 돌아서기에는 너무 늦어서 의구심이 들지만 결혼이라는 형식의 문턱을 넘어선다. 이 결혼에서는 물질적 및 심리적으로 얻을 것이 별로 없어 보인다. 심리적으로 이미 괴리되어 있기에 특별한 응집력이나 안온함을 애써 얻으려 하지 않아 생산적이기 어렵다. 둘이 있어도 혼자 있는 것과 진배없고 상대가 성가시기조차하며 회의가 든다. 이혼의 빌미를 끊임없이 찾기도 한다.

1+1=1

밑지는 장사인 셈이다. 같은 공간을 공유하고 있어서 겉보기에는 그럭저럭 꾸리고 있는 듯 보이지만 서로의 과도하게 보장된 독립성이 혼자 사는 것과 별반 다르지 않다. 모래알 같은 관계로 부부가 서로 소가 닭 보듯 한다. 둘 사이에 대화의 시간도 마련되지 않을 뿐 아니라 필요도 별로 느끼지 못하며 공동으로 추구해야 할 목표가 존재하기 어렵다. 얇은 유리그릇 같은 이 결혼은 쉽게 부서질 수 있다. 이 방정식의 결혼이 실패로만 마감되는 것은 아니어서 시작의 방정식은 이러해도 노력 여하에 따라 여건 변화에 따라 얼마든지 풍성한 결혼에 이를 수 있다.

일생의 주기로 보아 배우자를 상실한 생애 후반 얼마간은 이런 형태를 띨 수 있다. 함께 하던 실체가 사라지면서 마음속에 결혼의 색다른 공간이 생기게 된다. 변형이 되기는 했어도 그것에는 추억과 미움과 회한 등이 남아 끊임없이 살아 숨 쉰다. 어떠한 결혼방정식으로 마무리하는가는 지나온 시간들의 결과일 수도 있지만 혼자 남은 배우자의 몫일 수도 있다. 외로운 여정이다. $1+1=1\pm\alpha$ 라 함직하다.

$1+1=2$

평균 수준의 결혼상황. 같이 지내는 것에 익숙하지만 그렇다고 생산적 대화나 활기찬 생활로 적극 진행되지 않는 평균적 상태. 신혼일 때 이런 형태이기 쉽다. 열정과 호기심은 있으나 아직 낯설고 익숙치 않다. 서로를 관망하며 자신의 힘을 관철하려고 상대를 견제하기도 한다. 파워게임이다. 불필요한 기싸움을 억제하고 의지와 대화로 타협하고 이해하려는 노력을 하며 비로소 이상적인 결혼의 궤도에 들어선다. 시기적으로는 신혼 초를 지나는 형태가 되겠지만 이런 형태의 모든 결혼이 값이 큰 방정식으로 진입할 수 있다고 장담하기는 어렵다.

1+1⟩2

서로 공감하고 적극 문제해결하려 하며 새로운 접근이 수월해지니 신명이 나는 상태. 단지 수적 증가만을 의미하는 것은 아니다. 아이를 하나 낳았다고 이 등식의 의미까지 충족되지는 않는다. 공간과 감정과 재물을 나누며 생산적인 단계에 들어선 상태로 결혼의 이점을 실감하게 된다. 더욱 풍요로워질 조짐을 보이며 재미도 나고 누군가와 함께 하는 안정감을 갖는다. 서로 의지가 되며 남편이라는, 아내라는 벗을 인정하게 된다. 의견이 맞아 대화에 맛이 들고 박차를 가하면 터보엔진을 단 자동차마냥 달려 나간다. 설혹 길이 거칠 때가 있어도 헤쳐 나가는 방법을 터득한다. 이제는 서로가 함께 하는 것이 즐겁고 눈빛 손짓만 보고도 무엇을 원하는지 알게 된다. 오십 년을 함께 해도, 아이를 열을 낳아도 이 상태에 이르지 못하는 결혼도 많다.

위의 한 가지 등식 혹은 부등식이 결혼의 진행기간 동안 영원히 탄탄하게 유지되는 법은 없다. 위의 방정식들을 넘나드는 것이 통상적이다. 여건에 따라 건강에 따라 마음먹기에 따라 방정식을 갈아탄다. 출렁이며 이리저리 끌려 다니고 문제에 부딪히고 탈진하기도 하고 해결하기도 한다. 자기 의사에 의해서일 수도 있고 타의에 의해서일 수도 있고 주변 상황의 강력한 영향일 수도 있다. 그러나 의지를 세우고 상황을 해석하고 문제해결을 모색하는 것의 주체는 결국 「나」이다. 생산적인 결혼으로 가기 위해서는 상대에 대한 이해를 행동으로 실천하는 용기, 결혼유지를 위한 대화노력 그리고 시간이 필요하다.

결혼생활은 결국 서서히 어느 한 가지 결혼방정식에 안착하게 된다. 생래적으로 모든 결혼은 이별을 잉태하고 있기 때문에 항상 예기치 못한 위기들은 지뢰처럼 두 사람의 평온을 위협한다. 끊임없는 유혹과 이간질, 상황과 마음의 변덕까지 안팎의 위험은 불쑥 튀어나와 결혼을 시험대에 올린다. 물론 대처 의지에 따라 더욱 큰 응집력을 불러오기도 한다. 견뎌낼 공통의 목표가 단단하고 대화로 함께 미래의 꿈을 공유할 의지가 굳건하고 서로에 대한 신뢰를 소중하게 여기면 위기를 타파하고 앞으로 나아간다. 속도와 양상은 지

극히 개인적이다.

 아무리 시대가 변해도 결혼의 목표는 같이 있어도 떨어져 있어도 미소가 떠오르는 좋은 친구, 말벗을 얻어 행복해지는 것이다.

〈2017년 한국실험수필 4집 게재〉

발을 적시며

발을
적시며

별강 가에서

강은
무수한 별들의 한숨으로
바다가 되고
바다는 차가운 이슬 되어
바람에 몸을 뒤틀며
별강이 된다
별들은 광채를 품고
서로 부딪혀 명랑한 소리를 내지만
간혹
깊이 아주 깊이 잠겨
자신의 숨소리조차 삼킨다

석양은 면사포 꼬리처럼 끝 모를지라도
자,
이제는
석별의 시간
앞으로 나아가기 위한 또 하나
결단의 시간

엄마는 별강에 발을 적시며
기억들에서 해방되어
영원으로 들어서는 중이다
그 어깨에서는
잊힌 줄 알았던 싹이 돋아
안개즙을 젖줄 삼고
꽃을 피우는 중인지도 모른다

엄마, 나 왔어
말간 표정으로 빤히 쳐다보다가 눈을 감아버린다
늙은 딸을 잊었기 때문인가
그저 눈을 뜨고 있을 힘이 달리기 때문인가
이생을 완전히 벗지도

저생을 흔쾌히 맞지도 못한다

병원에서 사 년 반
손발 오그라들고도 삼 년
중환자실에서 살아나고 이 년 반
삶에의 투쟁의지는 혼돈스럽다가 옅어지다가 드디어 공중
으로 휘발되고 기계적인 호흡만 끌어안은 채 두서없이 별강
가를 서성인다
구비진 구십 년을 털어낼 수 없나

서러움을 잊으시라
가슴에 더깨로 앉아있는 분노도 흩어버리시라
모든 보따리는 놓아버리고
선선하게 별강을 건너시라
뒤돌아보지 마시라
안녕!이라 인사도 마시고
그저 내처 가시라
애초에 오지 않았던 것처럼

나는

도움을 청할 때 매번 그 손을 잡아주지 못한 미안함과
내 주머니 속이 비도록 베풀지 못한 죄스러움과
편을 더 들어주지 못한 아쉬움을
푸른 용담을 수놓은 손수건에 묻혀
별강에 던져버리렵니다
커다란 돌멩이를 매달아 던져버리렵니다

기억상실증 환자처럼 모두 잊고
남은 시간
'새로 태어난 나'처럼 살렵니다
소명으로서의 삶이 아니라
유희로서의 삶을 살아보렵니다
엄마를 잊고 살아볼랍니다

아무리 단단히 결심을 해도 가끔은 휘몰아치는 태풍처럼
달려들어 과거의 날 깨우며 울게 하겠지요
   그 땐 홀로 찾아가겠습니다
   슬픈 감정을 감추지 못하는 당신의 초상을 만나러 가겠습
니다
   그리고

맘껏 그리워하겠습니다

별강 가에 앉아

그리고

돌아서

또

씻은 듯 살겠습니다.

〈서초문인협회 동인지 문학서초24호 게재〉

〈현대수필 2021년 여름호 게재〉

속 빈 강정

화사했다
생긴 모양새나 옷맵시나
겉으로 본 삶의 그릇이 모두 그래 보였다
함부로 입을 열지 않고
절대 아쉬운 소리 않으니 더욱 그래 보였다

전쟁 후 미국 파견근무를 마치고 돌아온 아버지는 텔레비
전을 사 와 동네 영화관을 만들었지만 그것이 시기와 폭력
이 마그마처럼 들끓다가 활화산이 되다가를 반복하는 것을
막을 수는 없었다 오히려 그랬기에 질시와 이간질이 교묘하
게 파고들어 아버지와 엄마 사이에 불신의 너른 강을 놓았

다 강바닥에서는 험한 물살이 살을 헤집고 심술을 부렸다
혼자 몸으로는 막을 길 없는 불운에 엄마는 페치카가 있는
집에서 결단을 내린다

살아난 엄마는
목숨은 부지하지만
화사한 고치 속으로 스며들어
결코
나비가 되지 못한다.

아버지

라일락 향기는
뇌 갈피를 뒤적여
아버지를 읽어냅니다

사업이 내리막길을 걷고
건강도 서서히 쇠해지던 때
그러나 그것을 잘 알지 못하던 때
혹은 알았다 하더라도 감추었을 때

그 이른 여름 어느 일요일
동회*의 성능 나쁜 스피커가

둑이 언제 무너질지 모른다며 다급히 피신을 권할 때
온 동네가 두려움에 웅성댈 때

아버지는
우리들을 피신시킨 후
보일러실의 모터를 거두어 선반에 높이 얹어놓고서야
집을 나섭니다
현관 턱까지 찰랑이는 물을 장화발로 가르며

아버지가
누구의 어깨에 기대어 흐느껴 본 적이 있었을까.

* 동회/ 요지음의 주민센터

〈문학시대 2017년 가을호 게재〉

탱고를 아시나요?

좋은 음악은 뇌를 적신다.

음악은 거친 세상에서 받은 상처를 위무하고 기대어 흐느 낄 수 있도록 어깨를 내어준다. 카타르시스 하도록 어루만져 주기도 한다.

그것이 바로크 시대의 고전음악이던 보사노바던 재즈던 아리랑이던 색깔에 따라 내가 처한 무드에 따라 호수 표면 에 살금 펼쳐 놓은 실크드레스처럼 젖어온다. 혹은 갑옷처 럼 단단하게 감싸 안는다.

탱고를 아시나요?

1880년 무렵 유럽에서 아르헨티나와 우루과이로 이주한 이주민들로부터 시작된 민족음악이다. 두 곳의 경계지역인 아플라타강을 따라 기원한 파트너 댄스의 하나다. 초기 탱고는 경쾌하고 활기찼으나 1920년대가 되자 우수의 정서를 띠게 되었다. 보통 두 대의 바이올린, 피아노, 더블베이스와 반도네온*에 의해 연주된다. 초창기의 연주에는 종종 플루트, 클라리넷, 기타가 사용되었다. 노래를 곁들이기도 한다.
　2009년 8월 31일, 유네스코는 탱고를 유네스코 무형문화유산 목록에 포함시켰다.

　탱고의 선율은 숨 쉴 수조차 없이 강렬한, 그래서 절명할 것 같은 비극적 사랑을 표현하기에 맞춤하다. 싸워야 할 운명과 포기할 수 없는 삶이 팽팽히 맞서며 열정적인 삶의 뒤맞이하는 마지막 밤의 처연한 단호함도 감추지 않는다.
　탱고의 열정 속에 스민 서정적이고 흐느끼는 선율은 악사들의 혼신을 다하는 연주와 어우러져 미래는 증발하고 지금 이 순간에 피를 토하듯 숨을 몰아쉬게 한다. 지쳐 바닥에 쓰러져야만 비로소 적막해질 수 있다. 절대 침묵 속에 정물이 된 듯. 영원히 멈춘 찰나에 다다른 듯. 완전한 안식에 이른 듯.

영화 '여인의 향기', 사고로 시력을 잃은 슬레이드 중령이 오랜 시간을 칩거하다가 뉴욕여행 중 레스토랑에서 도나와 추는 춤이 탱고다. 포르 우나 카베라. 삶의 고통은 잠시 잊히고 세상의 향기에 집중하는, 낯선 여인과의 탱고는 지금의 절정과 그에 따르는 다른 시작을 예고하는 듯하다. 끝도 없이 펼쳐지는 순백의 종이에 떨어진 검은 점 하나. 극히 천천히 번지는 그림자.

영화 '물랑루즈', 사랑하는 샤틴을 공작에게 빼앗겨야 하는 크리스티앙의 절망을, 잔인한 운명에 대한 고통을 절제와 격정이 어우러진 춤으로 표현한다. 록산느의 탱고. 절제는 후속되는 격정을 더욱 고조시키고 순간을 확대한다. 활처럼 휘는 여인의 허리와 구르는 발소리의 울림은 다가오는 크리스티앙의 비참한 운명과 거역할 수 없는 무능에 대한 분노를 대변한다. 「내일」이 존재할 수 없는 「오늘」, 피를 쏟는 「지금」.

절제와 균형잡기가 미덕이라고 여기면서도 격정적 선율을 좋아하는 이중성은 뭔가.

팽팽한 창호지 창으로 햇살이 빗기는 시간, 해군 대위

한ㅇㅇ과 그레이스 켈리를 닮은 박ㅁㅁ는 축음기에서 흘러나오는 음악에 맞춰 반짝이는 장판 위로 미끌어진다. 가장 어렵다는 춤, 탱고. 그 리듬.

어린 나는 탱고음악에 젖은 부모의 호흡을 보며 황홀하다.

그토록 화사했던 그들의 행복은 산기슭의 노을처럼 맥없이 저물고, 평생 풀 수 없는 숙제를 안고 살게 된다. 치명적이고도 지속적인 주변의 악의로 불신의 늪에 빠져 애증의 시간들을 보낸다. 푸념, 자식에 대한 과도한 애착, 사업을 빙자한 끊임없는 외유. 화려함 속에 숨겨져 있는 아픔을 숙명처럼 지고 헤어지지도 완전히 끌어안지도 못하고 영원히 지속되는 서툰 탱고처럼 삶의 춤을 춘다.

두 사람은 생사가 갈리는 길목에서도 진정 화해는 하지 못했을 듯싶다. 설혹 조금씩은 서로에 대한 연민과 세월의 소모를 덧없어 했을 수는 있겠지만 차마 말로 옮기지는 못하고 이별했으리라.

언제나
탱고음악은
나의 신경을 팽팽하게 끌어당기다가

온 힘으로 세상에 맞서 싸우기라도 한 듯
탈진시키며
도둑맞은 부모의 행복에 대한 아쉬움을
되새기게 하곤 한다.

* 반도네온 bandoneon/ 아르헨티나에서 연주되는 일종의 아코
디온. 독일에서 유래되었다.

〈2018년 청색시대 동인지 '그리움으로 남은 노래는 혼자 오지
않는다' 게재〉

그거 알아?

사랑하는 사람이 덜 사랑하는 사람 앞에서 초라해 보일 때 화가 나는 거?

엄마는
네가 나보다 품위 있고 멋있고 근사했으면 했다는 거
알아?
혹여 엄마가 네게 짜증을 내곤 했다면
그건 네가 흡족치 않아서가 아니라
더 없이 귀해한 아들이 딸보다 더 아름다웠으면 하고 바라서였다는 거?
고장 난 모든 것은 네 손만 스치면 마술처럼 풀린다며

널 아까워했던 거는?

남의 열 아들 부럽잖은 아들이 사기꾼에게 소송 당해 어려움을 겪을 때
엄마가
자신의 모든 것을 내어주지 못하는 안타까움으로 안절부절못했다는 거
알고 있었어?
엄마가
최소한의 품위를 지키기 위해 필요하다고 여겨, 당신의 물질을 손에서 놓을 수 없었던 것이 오히려 우리 둘을 평안하게 지내도록 해준다는 것은?
그것이 엄마의 바람대로 우리가 갈등하지 않고 엄마를 보살필 수 있는 바탕이 되는 것은?

말을 거의 잃은 엄마가 아들 이야기에는 소처럼 커다란 눈을 적시며 눈물을 소리 없이 떨구는 거는?
일상인 딸과의 만남에 무덤덤한 엄마가 어쩌다 들른 아들 이야기에는 두고두고 입 끝이 귀밑까지 치닫는 거는?

어릴 적 살갑게 굴던 너를 더 좋아했다는 거
알아?
섭섭해서 하는 말이 아니야,
안타깝지
엄마가 화가 나고 한편으로는 주눅이 들고 그래서 속을
다스리지 못해
당신 목숨보다 소중하다는 아들과
속 깊은 정을 기쁨으로 나누지 못한 것이
이제는 관계를 회복할 기회가 영영 없으리란 것이

곰곰 생각해보면
엄마에게 우리가 모든 것을 주고 또 주는 자식이 되지 못
했던 것은
엄마가 우리를 온전히 믿을 수 있게 하지 못했던 것은
아닐까?

사람은
결국
가장 사랑한 사람을 할퀴고야 마는구나.

〈2020년 문학시대 동인지 '홍시 하나 풍등처럼 띄워놓고' 게재〉

아기는 손가락을 빨았습니다

아기는
엄지손가락을 입에 넣고
나머지 네 손가락은 살그머니 주먹 쥔 채
맹렬히 빤다
망태할아버지가 잡아간다는 위협에도
빨간 약을 발라 '애비!'라 겁을 줘도
살이 퉁퉁 불어 손가락빵이 되어도
참다못한 엄마의 벼락같은 고함 속에
철썩!
등짝이 후끈해져도
그 순간 뿐

유혹을 멈출 수 없다

아기는 아이가 되어서도 습관을 버리지 못했습니다.
　입속에 든 엄지손가락과 은은히 풍기는 꼬랑내는 뇌 속의
딸랑이를 잠재우고 영원으로 들어선 듯 진공 속을 헤엄치도
록 끌어당겼으니까요.

　숱한 낮과 밤이 오고갔어도
　걷다가 뛰다가
　유치원을 다니다가 학교엘 들어갔어도
　여전히 그 감미로움은 매혹적이다
　혼자 동굴에 들어앉은 듯
　속이 잠들곤 한다

허전함이었을까요.
왜 그토록 허전했을까요.
　다리 밑에서 주워온 아이라는 말을 믿을 만큼 엄마와 닮
지 않았기 때문일까요. 아빠를 꼭 닮아 밉다던 엄마에게 다
가설 엄두가 나지 않은 탓일까요. 사는 게 만만치 않아 신경
이 날카로운 엄마의 머릿속이 항상 소란했듯 아이의 머릿속

도 덩달아 헝클어졌기 때문일까요. 백 점을 맞지 못했다는 이유로 종아리가 시퍼렇도록 나무 빗자루로 맞곤 해서일까요. 행여 한 문제라도 틀리면 매가 무서워 어두워진 교실에 앉아 울곤 한 탓일까요.

부끄러운 일이라고 스스로 생각하면서도 그 일을 멈출 수가 없었습니다.

마약이었다.

행위 자체보다 집착한 기간이 그토록 길었다는 것이 독특하긴 하다.

어떤 이유도 없이 그냥 내 생겨먹은 것이 그랬을 수도 있다.

지금 생각하면 우습기도 하고 창피하기도 하고 한심하기도 합니다.

슬프기도 하고요.

그런 일들이 있었기에 오늘의 내가 있는지는 알 수 없습니다. 설혹 그런 측면의 가능성이 실오라기만큼 있다하더라도 이제는 전혀 소용없는 일입니다. 너무나 오래 전 본능에 충실했던 일이 지금의 내게 무슨 의미가 있겠습니까. 이미 피와 살이 되어 혈관을 돌고 돌아 공중으로 사라진지 오랠텐데요.

나를 외롭고 두렵게 하던 엄마가 지금은 무기력하게 병원 침대에 누워 하루를 천 일처럼, 이천 일을 하루처럼 보내는데 그토록 집요하게 손가락을 빤 이유를 곱씹고 생각하는 것이 무슨 의미가 있겠습니까.

자, 원인이 무엇이었던지 이제는 가여운 아기의 자기 달래기 에피소드를 얇은 명주에 적어 하늘로 나비처럼 날려버리려 합니다. 까맣게 태워 재를 강변에서 날려도 좋습니다. 기억의 DNA에서 삭제하려 합니다.

쓸데없는 물건들을 못 버리듯 부질없는 생각을 하곤 하는 바보스러운 습성을 버릴 때가 되었습니다. 한참 전에 그랬어야 했지요.

남아있는 한정된 시간과 간간이 고갈되곤 하는 에너지는 이제 앞으로 나아가는 데에만 쏟아도 넉넉지 않습니다. 내 사랑하는 사람들과 아름다운 추억 만들기에 전념해야 할 때입니다.

시간은 사건을 하찮게 만드는 요술을 부린다.

모든 것이 고의적 악의에서 비롯된 것이 아니면
설혹 그랬다 하더라도
시간의 말이 항상 맞는다.

<2021년 청색시대 동인지 '벗으니 웃는다' 게재>

버스정류장

엄마에게 들렀다가
집으로 돌아가려
버스정류장 벤치에 앉아
올려다보니
유리창에 새긴 '요양병원'이란 글자 중
'양'자 밑
안쪽에 누웠을 엄마가 떠올라
고개를 돌립니다

반 평짜리 침대에 묶여
몸피가 반으로 줄어

화사했던 만큼

더욱

가련해 보이는 것을

잊고 싶어서입니다

고개를 돌린다고 잊히는 것은 아닙니다

팔 년 전에도 요양병원 신세를 진 적이 있습니다. 천신만
고 끝에 벗어났는데 이번 요양병원 행에서는 생명을 유지하
기 위한 줄들을 떨칠 가망이 없어 보입니다. 가벼운 심정지
가 두어 번 있었습니다. 마음을 끊기는 어려운지 당분간 이
생에 머물기로 한 모양입니다. 그럼에도 몸은 자연으로 돌아
갈 채비를 서두르며 점점 투명해집니다.

다행인지 불행인지 아직 정신이 맑습니다. 말수가 줄어들
고 문장은 짧아졌어도 의료진들과 인사를 나누고 상황에 맞
는 대화를 합니다. 카네이션을 달아주며 오늘이 무슨 날이
지요? 하면 어버이날, 합니다.

이제는 '내가 왜 이러고 누워있는가' 저항하지 않습니다.
매번 딸과 헤어졌다 만나는 것을 무기력하게 받아들이는 체
념의 눈빛이 송곳이 되어 딸의 마음을 찌릅니다. 딸이 집으

로 가려고 일어서면 말없이 눈물을 주르륵 흘리는 날도 있습니다. 딸도 함께 웁니다.

내가 모르는 엄마 나름의 편안함이 있기를 믿으려 애쓰며 잔잔했다가 울컥했다가를 반복합니다.

희망이 없이 소중한 사람의 사그라드는 불꽃을 지켜보는 것은 천천히 돌리는 맷돌고문입니다.

내가 수술을 하고 병원에 누워있는데 '내게 뭔 일이 생기면 엄마는 어쩌지? 엄마는 누가 돌보지?' 하는 생각들로 어지럽습니다.

퇴원 후 달 반 만에 다시 엄마에게 드나듭니다. 허리를 곧게 펼 수 없지만 마냥 있을 수도 없습니다. 연말연시 즈음이라 더욱 엄마를 혼자 내버려 둘 수가 없습니다. 딸을 마냥 기다리는 것을 아는데, 딸 밖에는 기다릴 사람이 없는데 어찌 내 생각만 할 수 있을까요. 어찌 집에 누워 마음이 편할까요.

삶이란 것은 크고 작은 언덕을 꾸준히 오르는 일인지도 모릅니다.

짧은 즐거움들을 잠시씩 만져보는 것은 로또일 뿐 긴 평안이란 살아있는 동안 얻을 수 있는 것이 아닌가봅니다. 숨을 쉬며 살아있기 때문에, 누군가와 함께 하기에, 게다가 사람의 이기심은 충돌하기 마련이기에.

비집고 들어서는 굴곡진 사건들이 삶의 원동력일지도 모릅니다. 2%의 부족, 주저앉지 않을 만큼의 크고 작은 좌절. 나은 날을 꿈꾸며 페달을 밟고 올라, 펼쳐진 들판을 보며 잠시 숨을 고르고 다음 오르막을 올라야 하는 것이지요. 가야할 길이 있으니까요. 해야 할 일이 남아 있으니까요.

오늘도 엄마에게 갑니다.

오랜 시간이 흐른 뒤 옛 추억들이 물안개처럼 피어오를 때에야

왜 이 날들이 그토록 내게 필요했는지 알게 되리라 여깁니다.

〈PEN 문학 2019년 5, 6월호 게재〉

낯선 거리

해가 산 넘어 이별을 고하는 시각
아직 세상은 밝지만
한 자락은 지구의 반대편으로 당겨지고 있을 즈음

앞으로 나아갈 수도
뒤로 물러설 수도
그렇다고 멈출 수도 없는
그런 생각조차 하지 않아야 하는 시점

바이러스가 막아서서
엄마의 침대 근처에는 얼씬도 못하고

필요한 약과 간병인의 군것질거리만 올려보낸
엄마의 구십 하고도 한 살 생일

자동차들은 한산한 길을 거침없이 내달리는데
과연 목적지는 있는 것일까
정류장에 홀로 앉아 버스를 기다리는
그런 시간
거리도
나 자신도
너무 낯설어
삼십 년이 넘도록 거닐던 거리가
먼 여행지 어디인 듯하다.

〈문학시대 2021년 봄호 게재〉

꽃

시들지 마라
억지로라도 시들지 마라
때 낀 꽃대를 잡고
가루비누 푼 물에 설렁설렁
흔들어 말리면
새 꽃이 되듯
변하지 마라

빛에 바스라질지언정
눈속임으로 도도한 척
속은 비었을망정

꿋꿋이 견뎌라

너를 위해서가 아니라
너를 추억하는
나를 위하여.

〈현대수필 2017년 여름호 게재〉
〈2019년 전국문학인 꽃축제 출품〉

2015년 12월부터 2016년 6월까지

아들이 결혼을 결심하고, 시청 앞 한정식 집에서 양쪽 집 가족이 상견례를 한 날부터 아들이 아내를 맞아 증인들을 모시고 혼례식을 한, 꼭 육 개월 동안 다양한 일들이 성급하게 다가섰다.

설레는 마음으로 사돈을 만나고 어떤 사람인지 조심스레 살피고 조금씩 다가서고. 살아온 이야기들을 살금살금 하면서 공감하고 뿌듯해하고 인연을 귀히 여기고. 내도록 편안하도록 염원하고. 간간이 주저함도 마주한다.

미국에서는 아이들대로 옷을 사 입고 친구에게 부탁해 앨

범사진을 찍고 예물을 사러 쇼핑몰을 들락거리고. 각자 살던 집을 합치고 부서진 소파는 버리고 새로 색깔 맞춰 가구들을 주문하고 한국에서 가지고 간 꽃그림을 걸며 터전을 꾸민다.

서울에서는 식장을 정하고 예약을 하고 주례를 모시고 한복을 맞추고 양복을 맞추고 예물을 마련하고 예단을 주고 받고 함을 보내고. 즐거움과 망설임으로 젊은이들의 시작을 진심에서 축하해줄 사람이 누구일까 고민하며 청첩을 하고. 아이들이 한국으로 나오는 일정에 맞춰 꽃장식 디자이너와 약속을 잡고. 새 아이에게 줄 선물을 사러 백화점을 드나든다.

벌써 후회되는 일도 생긴다. 비디오 촬영을 하라고 강권했어야 했나, 괜스레 실속없이 비싼 한복을 맞췄나, 하면서.

그래도 마음 속 깊은 바닥은 푸르고 선연한 비취빛이다. 안도와 기쁨과 기대와 설레임의 색이다.

내 아들에게 아내가 생기고 둘이 다정하게 소곤거린다. 오랜 시간 함께 한 오누이처럼. 바라보기만 해도 행복이 전염된다. 내 아들이 이제는 외롭지 않아도 된다, 소리 내어 소문내고 싶다.

행여 들떠 실수를 할까봐 신은 오금을 박는다.

당신이 죽기 전에 손자 결혼을 보게 되었다고 입고 갈 옷까지 챙기며 기뻐하던 엄마를 요양병원에 보내야 하는 상황을 만들어 준다. 급작스레 몸을 가누지 못하고 어쩐 일인지 엄마는 혼돈에 빠져있다. 횡설수설하는 엄마를 찬찬히 보살필 여력이 없다. 다른 선택이 없어 병원으로 보내며 당혹스럽고 죄스럽다. 머릿속이 엉킨 명주 실타래 같다. 비췻빛 마음에 먹물의 파도가 밀려 왔다가 사라지는 것을 반복한다. 이미 잔치는 시작되었고 손님맞이에 큰 차질이 없어야 하는데 벌어진 일은 사정을 봐주지 않는다. 나는 젊은이들의 미래를 위해 주어진 일을 완수하기 위해 종종걸음친다. 엄마를 어떻게든 예식장에는 모셔보려 애쓰지만 거들 손이 없다. 공식석상에서의 엄마 반응을 예측할 수 없어 아무도 엄두를 내지 못한다. 엄마는 1순위에서 밀려난다. 혼례식 날 메인테이블에 엄마의 자리는 비어있다.

물 빠진 모래밭에 생겨나는 물골처럼 우리들의 삶은 이리저리 다른 방향으로 흐르고 자국을 내는가 보다. 같은 사건 안에서도 각자의 시점에서 각자의 상황에 따라 각자의 방법으로 움직이고, 그 안의 슬픔도 기쁨도 각자의 몫이니 말이다. 나의 기쁨과 아픔의 결이 작은 틈새도 없이 밀착되어 있지만 경계는 비현실적일 만큼 분리되어 있다. 할머니의 것은 할머니만의 것이고 손자의 것은 온전히 손자의 것이다. 하늘은 이토록 기쁜 일에 이토록 아픈 기억을 겹쳐 문신한다.

삶은 풍성한 가운데에서도 참으로 야멸차다.
가차가 없고 냉정하다. 그리고 너무나도 개별적이다.
그래서 삶은 고독한가.
그래서 삶이 오묘한가.

시간에 묻다

스적스적 비가 뿌리는 날
마음을 내려놓고
벽에 기대앉아
책을 편다
전화벨도 울리지 않아야 하고
고구마도 없어야 한다
그저 책과의 조우
나와의 소통이
잠자리날개 같은 커튼 속에서 농밀해야 한다

어느새

책은 저 멀리 물러앉고
만난 소녀는 말이 없다
북적이는 명절에
반가움은커녕 분란하기만 한 밥상머리를 피해
텅빈 거리를 서성인다
현란한 뇌의 춤사위에 지쳐
성당의 고요 속으로 몸을 숨긴다

마음 둘 곳이 없어
목숨을 버리려 하지만
그마저도 허락되지 않은
처절한 엄마를
적들 속에 남겨 두고도
염려할 여력이 없다

허깨비처럼 시간을 보내는데
생활에 진저리치는 엄마에게조차
귀애받지 못한다
묵언의 순종이 저항으로 읽혔는지
적들의 기질을 닮은 것이 원죄인지

고단한 시집살이의 희생양이 필요했는지
엄마는 딸의 기를 꺾으려
물리력을 써
다리에
엉덩이에
보랏빛–녹두 빛–노란빛 파노라마를 그려대지만
그럴수록 딸은 입을 닫는다
예기치 않게 소녀의 평온은
크고 작은 실패에서 오고
엄마는 비로소 아픔의 공감으로 받아들여 다가서지만
딸은 성큼 안기지 못한다

한줄기 빛도 없이
어디까지가 하늘이고
어디까지가 땅인지
알 수 없던 시각
절벽 끝자락에 서 있던 그 때
검은 하늘 속에
새파랗게 불 밝히고 내달리는 열차를 보내며
다리 밑에서 눈물짓던 기억에 매달려

막차를 탄 엄마의 등을 두드리고
위안하려 애쓰는데
공명이 거칠다
애 쓰는 것이 아닌
진솔하게 다가서는 것이어야 하는데
그리 못하는 것이 고통이다

마지막 시간이 다가오는 것을 예감하는 탓인지
자기연민에 빠져
회한의 노래를 되풀이하니
한발자국도 나아가지 못한다
각별해야 할 사람과
정다운 마음으로 이별하지 못하고
추억할 소중한 사람을 가지지 못하는 것이
서글픈 일이다

시간 속에 묻어버려야 하나
목이 터져라
시간에 물어야 하나.

〈2015년 한국실험수필 2집 게재〉

여기에,

여기에,

질 투

1970년대 초, 대학을 다녔다.

그 시절에는 집안형편이 여의하지 않으면, 자식 공부 넉넉히 시킬 수 없을 양이면 아들은 대학을 보내도 딸은 여고졸업이 최종학력이 될 공산이 컸다. 시집가는 데 아무 지장이 없다고 했다. 사는 데 인수분해 같은 것은 절대 불필요하다고 했다. 덧셈 뺄셈만 잘 하면 살림하는 데 지장 없다고 했다. 사실 그래 보이기도 한다. 심지어는 똑똑한 여자 팔자 세다고 했다.

특별히 부모님이 딸에 대한 교육열이 남다르다면 몰라도 그랬다. 남자형제 공부를 위해 딸이 돈을 벌어야 하는 일도 다반사다. 희생이라고 하지 않는다. 미덕이고 당위다.

여자아이를 대학에 보내는 경우는 아주 공부를 잘 하거나 가세가 넉넉해 대학교 학자금 대는데 큰 무리가 없거나 부모님이 특별한 자녀교육관을 가지고 있는 경우다.

여대생의 수도 적어 그녀들은 특권계층 비슷한 인식을 가졌다. 통계로 보면 인구 만 명당 26명만이 여대생이었다. 희귀동물 비슷하다. 대학에 가지 못한 여자아이들에게는 선망의 대상이다. 너무 선망한 나머지 주운 배지로 가짜 여대생 행세를 하는 사건도 종종 생긴다.

부모님 덕에, 운이 좋아서 화려하다는 E여대에 다닌 우리들은 나름 온갖 멋을 내고 대학생활이라는 것을 즐긴다. 짧은 치마에 책들을 옆구리에 끼고 공부는 장식품처럼 하며 희희낙락한다. 예배를 마치고 대강당에서 쏟아져 내려오는 몇 천 명의 여자아이들은 그 자체로 꽃이다. 파리다방에서 개똥철학을 논하며 사는 것에 고뇌하기도 하지만 다른 사람의 눈으로 보면 대체로 속없어 보인다.

속을 들여다보면 힘들여 학비 벌어 공부하느라 미팅 한번 제대로 못해본 학생도 있고 오로지 공부에 올인한 학생이 있음에도.

단과대학별로 색이 다른 은배지를 열심히 달고 다녔다. 아침에 옷을 바꿔 입으면 배지도 옮겨 달았다. 잊으면 허전하다. 장신구라기보다는 피부 같은 것이다.

  찻집이 다방이던 시절, 차장이란 직업이 있었다.
  우리 또래 여자아이들의 직업이다.
  미어터지는 버스에 매달려 사람들을 안으로 몰아넣고 차비를 받는 그녀들은 간혹 사고를 당하는 경우도 있었다. 그녀들은 나일론 100%의 유니폼에 손끝 자른 장갑을 끼고 버스 옆구리를 두드린다. '오라이!' 하고 외치면 기사는 휘리릭! 스냅을 줘서 버스를 기울여 사람들을 안으로 차곡차곡 간추려 넣고, 그녀들은 타이밍 맞춰 잽싸게 문을 닫는다. 위험천만한 묘기다.
  그녀들은 우리에게 '야, 이년들아! 니들은 잠옷에도 배지 달지?' 하며 울분을 쏟았다.
  우리들의 행태가 눈꼴사나운 거다.

  어둑한 시간, 친구들과 서울역 근처에라도 가면 밤거리 여자들이 같이 가던 남자아이들을 잡아끌었다. 남자아이들은 당혹해하고 우리는 공포스러워했다. 그녀들은 남자아이들에게 '걔들은 별거 아냐!' 하며 킬킬거리곤 했는데 우리들은 서둘러 자리를 피했다.

그녀들은 남자아이들과 몰려다니는 우리를 보면 배알이
틀렸던 거다.

2008년 5월 3일 토요일 한국 시각으로 오전 6시, 그 아이
가 갔다.

길지 않은 55년 남짓한 세상 나들이를 마치고 돌아갔다.
아직 결혼시키지 않은 아들 둘을 남겨놓고 떠났다.

공교롭게도 같은 날, 4개월 조금 모자란 시간 내도록 중환
자실에서 생사를 오가던 시어머니의 병세가 호전되어 일반
병실로 옮겼다. 한 발 담그고 있던 죽음의 세계에서 일단 발
을 뺀 것이다.

런던 그 아이의 소식을 들은 시각은 늦은 오후, 시어머니
의 일을 마무리하고 귀가해 안도하며 머릿속을 비우려 화초
를 만지던 시간이다.

이제는 전화도 이메일도 나눌 수 없고 어쩌다 런던에 들러
도 그 아이를 불러낼 수 없게 되었다.

어처구니없게도 분노에 가까운 질투감이 솟는다.

83세 노인은 분연히 살아나는데 55세 젊은이는 저편으로

사라졌다는 사실에 분노했다.

이럴 수가 있나.

신의 조치에 대드는 것도 아니고 대든다고 변할 것도 없지만 그런 사실을 받아들이는 방법 밖에는 할 것이 없는 것에 분노한다. 수수방관할 수밖에 없는 나를 보았다.

공평하지 못하다고 생각했다.

세상 이치가 그러하다는 것을 받아들이기 어려웠다.

분노 섞인 질투가 무엇인지 알았다.

딱히 어쩌자는 것도 아니고 어쩔 수 있는 것도 아니다. 내 질투가 얼마나 비합리적인지 너무도 잘 알고 있다. 그럼에도 솟아오르는 질투감은 내 어깨를 짓누르고 삶이라는 과제에 속수무책으로 무력한 나를 본다.

예전의 그녀들도 그랬으리라.

그녀들은 나보다 조금은 더 구체적인 이유로 그랬으리라.

해골의 관절음

오차숙*의 말대로 생이 한 판의 춤사위라면
난
점점 마른 춤을 추는 듯 싶소
우울은 분노에게 자리를 내어주고 몸피 역시 야위어 볼품
이 없소
인간사에 의연한 척하려니 세포 속 물기가 증발해 그런가
보오
뻐그덕거리오

그녀는
바람에 날리는 이사도라 덩컨의 실크 머플러처럼 펄럭이

는데

난

밀가루 풀을 잔뜩 먹여 말린 이불보마냥 뻣뻣하기만 하오

그녀는

아기의 살내 같은 신명을 던지건만

난

치매 들린 노파처럼

깜빡깜빡 뱃속으로 잦아들어

간혹 깊은 곳에서 솟아오르는 것이 있다 해도

잡아채질 못 하오

아직 울음 많을 때 미움 모를 때 커다란 꿈이 살아있을
때

난

얼마나 아름다웠나

순수가 먹이 되어 울에 갇혀 니트로글리세린을 혀 밑에
녹일 뿐이었지만 백치적 아름다움은 맑은 수정처럼 도무지
의심도 모르고 바보에 가까웠지

그래서 날 내어줄 수 있었지만 이제는 속지 않으려 버티며

일부러라도 세상물에 젖으려 하오

변명도 하고 코웃음도 쳐보려 하오

뇌에 달라붙어 불면과 불안과 식욕부진을 부르는 기억들은 영원히 열리지 않을 타임캡슐에 담아 지구의 핵으로 쏘아 보내려 하오

있지 조차 않았던 듯

예전에 울보였다면 지금은 허당이지만 곧 여우가 될테오

가끔은 계산도 염려도 없이 미친 듯 머리 풀어 헤치고 뜨거운 속에 몸을 담그고 싶긴 하오

나름 꿈틀거리오

그러나 그 뿐이오

사랑이라는 느낌조차 낯설어져 나 자신에게 묻고 또 묻소

명료한 답을 원하는 강박이 원인인지 머리가 얼음덩어리로 가득 찬 탓인지 더 이상 복잡한 것에 염증이 나서인지 모르겠소

헹가래를 치고 목젖이 붓도록 함성을 지른다고 신명이 들겠나 싶고 낚시로 시간을 낚고 흐르는 강물에 시름을 씻고 건진 물고기로 육신을 보한다고 삶에 광택이 돌겠나 싶소

되도 못할 어색한 춤사위에 무릎관절만 울음소리를 낼 뿐

이지.

* 오차숙/ 계간지 「현대수필」 주간

〈2015년 청색시대 동인지 '블랙박스를 열어라' 게재〉

크리스마스 선물

일찍 어두워지는 계절이라서인지 진정 늦은 시간이었는지는 모르겠다.

엄마는 곱게 차려 입고 군은 얼굴로 지나치도록 환하게 불밝은 안방 문턱에 잠시 멈춰 선다.

아버지의 귀국 후 분란이 있은 뒤 집을 떠난 엄마가 크리스마스 선물을 들고 들렀다. 나는 혼자 지내는 것에 익숙해지려던 참이었는지 그 시간에도 홀로 안방에서 뭔가를 하고 있다.

그 장면, 100촉짜리 전구를 밝힌 것처럼 차갑도록 환하고 깔끔한 그 방으로 느닷없이 들어선 엄마를 본 그 장면은 육

십 년이 지났음에도 그림을 그릴 수 있을 것처럼 선명하다.

그 순간 당황했을지도 모른다.

혼돈스러웠을지도 모른다.

무슨 상황인지 가늠조차 하지 못했을지도 모른다.

어두운 거실에서 미닫이문을 밀며 조용히 들어선 엄마를 보고 내가 달려들며 울음을 터뜨렸는지 그저 놀라움에 멍청히 쳐다보고 있었는지는 기억에 없다.

그 만남의 서러움은 내 피 속에 녹아 긴 세월에도 옅어지지 않고 때때로 몸부림을 치곤 한다. 서서히 다가오다 천천히 물러서다를 반복할 뿐 말끔히 사라지지는 않는다.

예외없이 언제나 가슴이 먹먹하다.

글을 쓰고 교정을 보는 지금, 내도록 그러하다.

이상스럽도록 선명하게, 엄마 손에 들려있던 크리스마스 선물이 인두로 지진 낙인처럼 머릿속에 새겨져 있다. 불필요하도록 세밀한 부분까지.

산타클로스의 빨간 망사양말. 지금의 양파망과 흡사한, 실로 짠 무릎 높이의 망사양말. 양말 입구에는 붉은 뺨의 산타할아버지가 유쾌한 웃음을 웃는 그림이 그려져 있다.

내 상황과 얼마나 괴리되었는가. 그렇기에 더욱 짙게 각인되었을지도 모른다.

그 속에는 설탕 바른 찹쌀과자와 일일이 빠닥종이에 싼 여러 모양의 사탕들, 그리고 귀부분에 하얗고 보송보송한 토끼털을 붙인 회색 모직 귀마개가 들어있다.

그 과자는 길거리 과자점 어디에서 봐도 알아볼 수 있고 그 귀마개의 촉감은 아직도 생생하다. 혹 길가 상점에서 그 귀마개와 흡사한 물건을 보면 사리라. 그냥 그리움으로 사리라.

일단 그 시점에서 내 기억은 끊어진다.

엄마가 머물던 곳으로 돌아간 것은 확실하지만 내가 어떻게 대응했는지는 기억에 없다. 선물에 도취되어 엄마가 떠나는 것을 몰랐을까. 아니면 아직 인내가 바닥을 드러내지 않아 선선히 엄마를 보냈을까.

그 해를 넘기고 엄마에게 미친 듯 매달린 또 다른 사건이 있는 것을 보면 아마도 그 크리스마스이브에는 엄마와 얼떨결에 이별한 듯싶다.

초등학교 입학 전 어린 소녀의 고독한 생활은 이미 시작된다.

일 년 반의 미국 근무를 마치고 귀국하는 아버지를 환영하기 위해 엄마는 내게 하얀 카라 사이에 진주를 장식한 인디언 핑크빛 모직 원피스와 하얀 인조털이 포근한 검정색 홈스펀 코트를 입혔다. 한껏 부풀었다.

공항에서의 반가움은 잠시. 집에 들어서자 기다리던 할머니, 작은고모는 그들의 며느리, 올케가 바람을 피웠노라 귀국해 지금 집으로 들어서는 아들, 오빠에게 고자질한다. 바로 그 날을 벼르고 별렀던 것이다. 고성이 오가고 저고리 말기가 뜯긴 엄마는 맨몸으로 집을 떠났다. 어두운 저녁이었다. 사방이 어두웠다.

그 절제하지 못한 시기심과 오해와 미친 분노는 어린 소녀의 아버지를 만나는 기대와 설레임을 한순간에 지옥으로 내몬다. 전주前奏가 없었기에 더욱 캄캄한 수렁으로 내몰린다.

'온전한 홀로서기'의 시작점이 되고 평생 기쁜 일에 쉽게 젖지 않는 습관에 길들게 된다.

아버지가 미국 근무를 떠나기 직전 신당동에 허름하고 작은 집을 마련, 엄마는 당시에는 꽤나 큰돈을 들여 반듯하고 깔끔한 새 집으로 만든다. 우리는 그 집을 거북당집이라 부른다. 그 시절 유명한 아이스케키 집, 거북당이 가까이 있었기에.

이미 빚을 내어 집을 장만한데다 수리에 큰돈을 들인 탓에 엄마는 계를 부어 자금을 마련하고 있었다.

남편의 미국 근무 중 빚을 갚고 나면 반짝이는 새집은 온전히 우리의 것이 되고 그곳에서 자랑스럽게 남편을 맞아 오순도순 살리라, 열정을 낸다.

지금도 눈에 선한 그 집은 니스 칠에 반짝이는 거실이며 실내 화장실을 갖추고 있었다. 애초 구입한 가격에 수리비를 포함해 배 이상을 받았다는 그 예쁜 집에서의 사건은 내게 물질의 허망함을 가르쳤는지도 모른다. 최소한 그것이 삶의 전부는 아니라는 것을 알게 했는지 모른다.

운이 없게도 계주는 돈을 떼어먹고 도망을 가고, 엄마는 계주를 찾아다니게 되어 늦은 시간까지 밖에 있는 경우가 종종 생긴다. 그것이 시집 식구들에게는 바람을 피운 것으로 오해 혹은 고의적인 오해가 있었으리라. 엄마의 열정이 고통의 빌미가 된 셈이다.

그들의 사특한 공모는 실패하지만 내 부모의 행복할 수 있었던 기회들은 도적질되고 우리 가족은 온전히 치유되지 못한 채 각자의 아픔을 지니며 살게 된다.

이후로도 내 부모의 화합은 끊임없이 시험대에 오르고 집요한 간섭은 우리를 지치게 한다.

나는 평범하기 그지없는 일상의 작은 장면들,
눈 부릅뜨고 커다란 쌈을 입에 넣는 엄마의 모습을 사진기에 담는 아버지
엄마 엉덩이를 슬금 만지며 장난치는 아버지
눈 흘기는 엄마
그것을 지켜보는 우리들의 웃음소리들을
때때로 기억에서 소환하며
눈가를 적시곤 한다.

'자유' 하다

능동적 동사로서의 '자유하다.'

내게 주어진 것으로서의 자유를 소극적으로 받는 것이 아니라 '자유'를 옷처럼 입고 즐기는 의미로서의 자유다.

인간이 세상에 태어났다고 하는 것은 '절대적 자유'의 포기를 전제한다. 자의이던 타의이던 포기각서에 서명한 것이다. 타인과 나누는 '관계적 자유'만이 존재한다. 그 자유의 타협점을 찾는 것이 삶의 과제이며 난제다.

남편의 고교 산악반 동기, 후배와 그들의 아내들이 부부 동반 모임으로 만나기 시작한 것이 몇 년 된다. 남편들이 자기들끼리만 놀지 말고 마나님들에게 적절한 아부를 하는 것이 정년 후를 위해 보험 드는 것이라는 견해에서 시작됐다.

여름에는 팔월 초순경 더위가 기승을 부릴 때 만난다. 일명 '물텀벙'이다.

아침갈이 같은 길 없는 계곡을 찾아가 물길을 따라 첨벙첨벙 걷는 것이다. 신발도 양말도 바지도 심지어는 윗도리도 적시며 걷는다. 젖는 것에 신경 쓰지 않는다. 일부러 적시기도 한다.

마침 큰물이 들어 행사를 건너뛰는 해도 있지만 모임을 매년 비슷한 시기에 시도하는 것이 원칙이다. 여름의 한가운데에서 물이 풍부하고 볕이 내리쪼이는 때를 고른다. 햇살이 따가워야 젖은 옷이 잘 마르지만 하늘을 내가 원하는 대로 조작할 수 없는 법이니 그저 물길이 너무 급하거나 깊지 않기를 바랄 뿐이다.

올해도 어김없이 팔월이 왔고 '물텀벙' 프로그램이 진행됐다.

방동약수터에서 시작해 아침갈이로 가는 길은 사륜구동 자동차가 겨우 지날 수 있을 만큼 바닥이 울퉁불퉁하고 굴곡이 심하다. 좁기까지 해 맞은편에서 차라도 오면 길가 나무와 풀들이 자동차 바퀴에 수모를 당해야 한다.

자동차가 지날 때 나뭇가지들이 차창을 때리고, 바닥은 자유로워 차 안의 우리는 끊임없이 상하좌우로 흔들린다. 갈비뼈에 골절이 생기는 것은 아닐까 싶을 정도다. 로데오 말 등에 올라탄 듯 흔들리며 우리는 십 대처럼 연신 키득댄다. 이것이 '물텀벙'의 애피타이저다.

'물텀벙'은 물 흐르는 계곡을 철버덕 철버덕 걷는 아주 단순한 놀이다.

물에 빠지지 않으려 애쓰는 걷기가 아니라 일부러 물에 빠지며 텀벙거리는 놀이다. 어린 시절 비 오는 날 물웅덩이를 터벅거려 흙탕물을 여기저기 튀기는 것과 비슷하다.

수영도 아니고 낚시도 아니다. 높은 지력도 대단한 담력도 필요하지 않다. 준비물도 필요없다. 물 빠지는 신발과 스틱만 있으면 된다. 한 돌 지난 이후 오랫동안 해왔던 걷기를 계곡물 따라 하는 것이다. 무릎 아프기 전에 해야 할 존재확인의 산행과 같은 처연한 도전이 아니다.

갈아입을 옷과 물, 간단한 간식을 넣은 배낭을 메고 스틱을 짚고 자갈이 울퉁불퉁한 계곡을 따라 걷는다. 맑은 물 속으로 바닥의 돌멩이와 굵은 모래가 얕게 들여다보이고 주변 산은 알프스의 산자락을 연상시킨다.

발을 담그기 직전의 조심스러움은 사라지고 물에 나를 맡기며 자유를 만끽한다. 미끄러운 돌들을 살펴 밟으며 발목을 적시고 무릎까지 물을 채운다. 자칫하면 벌러덩 나가떨어지기 십상인데 그것도 재미다. 순간 엉덩이가 젖어 오줌 싼 아이처럼 되지만 엄마에게 야단맞을까봐 울지 않아도 된다.

브래지어가 젖을 만큼 물이 깊은 곳에서는 배낭을 이고 조심조심 피난민처럼 개울을 건넌다. 한손에 모아 잡은 스틱은 이미 물에 잠겼고 가슴까지 찬 물에 가벼운 공포와 스릴을 맛본다.

얕은 물가로 걸어 나와 홀딱 젖은 옷가지에 조금쯤 겸연쩍어지지만 뭐 어떤가, 물에 빠졌으면 그런 거지. 바지가 달라붙어 팬티 입지 않은 모양이 되더라도 뭐, 입었는데 뭘. 너도 나도 예외 없는 물에 빠진 생쥐 꼴에 안도한다.

비가 쏟아진다.

손이 모자라 우산을 쓸 수도 없지만 쓰고 싶지도 않다. 자연에 온전히 나를 내맡기는 일을 언제 할 수 있을까. 도시여인들이야 더욱. 엄격한 가정교육을 받은 도시여인들은 더더욱.

쏟아지는 빗방울은 잔잔했던 수면을 젖유리처럼 만들고, 물 속의 작은 물고기들은 내 다리의 각질을 입질하며 닥터

피시인양 군다.

'물텀벙'에는 언제라도 찾아가 만날 수 있는 어머니의 무릎을 베고 누운 것 같은 안도安堵가 숨어있다. 꾸밀 것도 애태울 것도 없이 나를 온전히 개울에 던짐으로 얻는다.

아침같이 계곡은 항상 그 자리에 있다. 내가 원할 때 그것을 찾고 그것을 끌어안으면 된다. 날 거부하지도 차별하지도 않는다.

'물텀벙'이 끝나는 순간, 집으로 돌아가기 위해 물에서 발을 빼는 그 순간부터 다음 '물텀벙'을 기다린다. 든든한 보호자인 남자들이 있고 얘기 벗 여자들이 있어 '물텀벙'은 더욱 '자유'하다.

내게 있어서 '물텀벙'은 '자유'와 동의어다.

〈2012년 서초수필회 동인지 「'없다'가 사라진 식탁」에 게재〉

이제는 '물텀벙'을 하지 않는다.

방동약수터가 혼잡해진 탓도 있고, 얌전한 여인네들이 공개적으로 물에 몸을 맡기는 것을 꺼리기 때문이기도 하다. 무릎이 약해진 좀 더 현실적인 이유도 있다.

그럼에도 내게 '물텀벙'은 가슴을 후련하게 했던 많지 않은 기억들 중 소중한 하나로 남아 영원히 잊지 못할 게다.

가끔 꺼내어 애틋하게 그리워할 간절함이다.

그런 추억을 만들어준 벗들께 감사한다.

우리, 넷

남프랑스로 간다.

성급히 떠난 S를 빼고 육신이 있는 우리들은 남프랑스로 간다.

애초에 우리 넷은 런던을 기점으로 스코틀랜드 여행을 계획했다. 어디 인생이 계획대로 되던가. 런던댁 S가 급하다면서 일찍 육신을 버렸기에 우리 셋은 S를 가슴에 품고 남프랑스로 간다.

대학졸업반 여름 이후 처음 같이하는 여행이다.

우리 역시 삶의 발톱에서 자유롭지 못했으니 주요 대목만 나열해도 백 개의 문장은 채울 수 있을 만큼 사는 것에 휘

둘렸다.

1970년대 영국으로 유학 가 화학도化學徒 영국 청년과 결혼한 S. 지금 한국에서 베트남댁, 라오스댁, 필리핀댁이 경멸 어린 눈초리를 받듯이 가난한 나라, 잘 알지도 못하는 극동의 작은 나라에서 온 자그마한 새댁은 유구한 역사를 자랑하는 런더너*들의 왕따다.

홀대받는 자존심을 지키기 위해 공부도 일도 열심을 내었고 아이들도 열심히 키웠다. 병이 드니 친구들이 제일 보고 싶더라며 하얗게 센 머리카락을 짧게 자르고, 여성호르몬 부족으로 오는 안면홍조증을 완화시키기 위해 손선풍기를 들고 서울 나들이를 했지만 결국에는 서둘러 그리워하던 이들에게 이별을 가르치고 만다.

S가 떠나고 우연히도 꼭 5년 즈음 남은 우리 셋은 남프랑스로 간다.

우리 셋이라고 편안하기만 했을까.

누군가 명문여대 나온 여자들은 모두 행복하기만 할 것 같다고 했다.

단세포적 우문愚問.

어디 돈이 많다고, 건강하다고, 학벌 좋다고, 성격 좋다고,

잘 생겼다고 운명의 칼날이 무뎌지던가.

남편에게 매를 맞고, 죽을 것이 두려워 도망치고, 아이들을 온전히 혼자 맡고, 먹고 살아야 하니 학력을 속이고 생계를 이어야 하고, 두려움의 대상이었던 남편이 죽어 홀어미가 되고, 이유야 어쨌든 죽은 사람에게 미안해하고, 아이들에게 충분히 해주지 못하는 것을 자책하고, 이혼하고, 주변의 편견으로 변변한 직장에 자리잡지 못하고, 계모가 되고, 아이가 희귀한 병을 앓고, 속수무책인 일들에 눈물 흐르는 날들을 보냈다.

떠나보낸 첫사랑, 대학을 마저 마쳐야 하나 싶었던 절박감, 탈출구로서의 결혼, 시어머니와의 데면데면함, 남편의 일시적 실직, 직장에서의 사고로 얻은 상처 등은 이야깃거리에 들지도 않는다.

어느덧 환갑이 되고 머리숱이 적어지고 희어지고 가끔씩 무릎이 시큰거리고 시어머니가 되고 장모가 되었다.

폭풍 같던 시간들이 지났다.

마음과 돈이 절실했던 시간도 지나고 드디어 인생의 삼모작의 시점에 섰다.

생애 초기 꿈꿀 수 있었던 시절 뒤, 또 그만큼의 시간을 운명의 부림에 충실한 후에야 한가하게 얼굴을 마주할 시간을 얻었다. 이젠 직장 일에서 놓여나고 가정사에서도 조금은 빗겨 서 늦은 시간까지 수다를 떨 수도 있고 삼자대면三者對面 카카오톡을 쏘아대며 키득거리기도 하고 느닷없이 번개팅을 할 수도 있고 와인 한잔씩을 기울일 수도 있게 되었다.

간절했던, 아름다웠던, 치열했던 시간들을 뒤로 하고 그렇게도 원하던 우리들만의 여행을 떠난다.

우리, 셋은 남프랑스로 떠난다.

새로운 시작점에서, 형제처럼 나누었던 해묵은 이야기들의 자락을 펼쳐 볼 시간과 다른 어려움과 즐거움이 놓여있을 새로운 미래를 마주하기 위해 떠난다. 지금의 환희를 끌어안고 후일 위로가 될 추억을 만들기 위해 떠난다.

* 뉴욕시민은 뉴요커, 파리시민은 빠리지엥, 서울시민은 서울라이트라 하듯이 런던시민은 런더너(londoner)라고 한다.

〈2013년 청색시대 동인지 '우산이 되는 날'에 게재〉

또 한 웅큼의 시간이 흘렀다.

남프랑스로의 여행 후 꼭 8년이 지난 우리 셋은 할머니가 되었고 죽음을 넘나든 수술도 받았고 살아났고 통증을 달고 살게 되었고 매일 먹어야 하는 약들이 생겼다.

호기롭게 추억만들기에 나섰던 그때가 너무도 순진했던 것일까 여겨지기도 한다.

곧 다시 함께 여행을 하자고 다짐했지만 다짐일 뿐이다. 시간은 꿈결처럼 지나갔고 몸과 형편이 마음을 따라 주지 않는다.

이제는 시간이 더없이 소중한 때가 되었다.

시간의 힘

사십 년 만에 만나기로 하고 빙수집에 앉아 기다리며
알아볼 수 있을까, 살짝 염려한 것이 쓸데없는 기우였다
들어서는 선배를 어제 본 듯 알아보며
안 변하셨네요!

얼음 보송이에 얹힌 단팥과 인절미와 딸기를 먹으며
함께 공부했던 선배들
어른이 된 아이들
그 아이들의 짝꿍들
노인 대열에 선 남편들
이야기에 두 시간 반이 후다닥 간다

손을 잡고 서서
잘 회복했으니 이제 좋을 일만 남았네
뵐 때까지 편안하세요
오랜 인사를 나누고
차에 오르기 위해 돌아서 가는 선배를 보니
다리가 휘었다
허리가 아파 테니스공 운동을 한다며 내게도 테니스공을
두 개 건네더니

무심히 스쳐 지날 리가 있는가
흔적을 남겨야 시간이지.

꽃으로 남아
- 대화서각

어느 날 내게로 왔다

'너무 예뻐서 주려고 가져왔다'

문간을 들어서며 그녀가 내밀었다

열대성 식물인 그 놈은 고된 일로 굵어진 그녀의 손마디
를 닮은 몸체에 어울리지 않게 커다란 주황색 꽃을 달고 있
다

그녀가 내게 온 것은

내 열한 살 가을, 구름이 잔뜩 낀 으스스한 오후

옥색 얇은 여름 한복을 입은 그녀는 나만큼 작았다

때리는 남편에게서 도망해 서울로 숨어들었는데

종내 딸과의 인연도 옅어져 결국 혼자가 되었다
그 사이 나는 대학생이 되고 아이 엄마가 되었다
우린 말벗이 되어
반세기 넘는 세월동안
서로의 험한 시간을 묵묵히 지켜보았다
나는 늘 그녀의 수고가 측은했고
그녀는 곡절 겪는 내 곁을 말없이 맴돌았다
이제
그녀는 늙어 지하방에 갇히고
난 가끔 들러 용돈을 챙겨준다

우리의 이별은 오고야 만다는 것,
그 소식조차 한참 뒤에나 들을지도 모른다는
서러움에
대화서각을 들여다보며
콧등 시리다.

나의 왕십리

아버지는 전쟁 후 미국의 낡은 전함을 수선해 한국으로 들여오는 임무를 띠고 일 년 반의 미국 근무를 마치고 귀국한다.

조금 더워했던 기억이 나는 것으로 미루어 아마도 1958년 여름의 더위가 채 물러가지 않은 초가을 즈음이 아닐까 싶다. 코트를 입었으니 초겨울이었을까?

기대에 부푼 그 날, 새 집을 만들어놓고 남편을 맞는 젊은 아내의 꿈은 박살난다.

엄마는 집을 떠나고, 나는 뒤에 남아 그들과 밥상머리에서 함께 웃을 용기를 내지 못한다. 그들은 언제 그런 일이 었었던가 싶게 예쁜 집에서 점령군처럼 누린다. 매일이 잔칫날이다. 그들의 웃음 속에는 엄마 떠난 손주나 조카에 대한 고민은 없다.

오랜 시간이 흐른 후에 엄마에게 물었다.
정말 춤바람이 났었는가?
아빠의 출장 중 낡은 집을 사 고치느라 계를 들었는데 계주가 도망을 치는 바람에 잡으러 다녀야 했다. 낮이고 밤이고 없이 내 정신이 아니었다.
난 믿는다.
그녀의 성격을 알기에.
그녀의 도도함을 알기에.
그녀의 생애 우선순위를 알기에.

이미 '크리스마스 선물'에서 이야기를 풀어놓았으니 사건의 전말은 익히 알리라 여기며 다음 이야기를 계속합니다.

초등학교 이학년 개학하기 직전 비가 부슬거리는 어두운 저녁시간, 퇴근한 아버지는 엄마에게 가자며 내 손을 끌었다. 아버지는 택시기사에게 '조병옥씨 댁 뒷집입니다' 했다. 그가 누구인지는 모르지만 그 이름 석자를 골수에 새긴다.

그렇게만 해도 택시기사가 알아듣고 내달리는 것을 보니 엄마와의 끈을 이어줄 유일한 끄나풀임에 틀림없다. 행여 그것을 놓치면 엄마를 영원히 찾을 수 없을 것 같아 죽을힘을 다해 뇌이고 또 뇌인다.

잠시 엄마를 만나고 다음 날 개학준비를 위해 늦은 시간 집으로 돌아왔다. 돌아온 과정은 기억나지 않지만 다음 날 학교에 갔으니 돌아온 것이 맞다.

집으로 돌아온 다음 날 학교에 다녀왔지만 내 속은 용광로처럼 펄펄 끓는다. 달랠 방법이 없다.

어제 저녁 엄마에게 갈 때만해도 철부지 아이들이 그러하듯이 울며 매달리고 집으로 돌아가지 않겠다고 떼를 쓰지는 않았던 것 같다.

이미 어린아이스러움을 잃었는지도 모른다. 속내를 드러내지 않는 법을 익히고 있다고나 할까. 드러낸다고 받아줄 누군가가 있기는 했던가. 본능적으로 그렇게 살 수 있는 운명이 아니라는 것을 일찍 알았을지도 모른다. 천진함을 가져보지도 못하고 잃었다.

아예 만나지 않았다면 그리움은 구름처럼 안개처럼 허공

에 떠돌 뿐이겠지만 엄마를 보자 애절함이 사납게 몸부림을 쳤다. 괴물 같은 모습으로 펄펄 날뛴다. 또 다시 헤어지는 것은 죽음이다.

엄마에게 가자고 조르는 내게 아버지는 퇴근 후 가자고 했지만 개학식만 하고 돌아온 낮 시간에 이미 내 인내심은 바닥이 났다. 견딜 수가 없다. 아버지의 퇴근은 영원히 올 것 같지 않다. 엄마를 향한 미친듯한, 내 손에 잡힐 것 같지 않은 조급증이 극에 달한다. 가슴의 고동을 진정시킬 수 없다.

하교한 고등학생 둘째 삼촌을 졸라 '조병옥씨 댁' 뒷집을 찾아 나선다. 왕십리라고 했다. 삼촌이 엄마의 적에 더 가까운 사람이라는 생각은 할 겨를이 없다.

이리저리 헤매다가 그 집, 조병옥씨 댁 뒷집을 찾아낸다.
쪽마루가 좁게 달린 문간방문을 열고 엄마가 고개를 내민다. 엄마는 해가 중천에 있는 시각에 들이닥친 딸을 보며 놀라고 나는 성큼 엄마의 방으로 들어선다.
울었는지 실랑이를 했는지는 기억나지 않는다.
죽음으로서 그 방을 지킬 생각이다. 절대로 그냥 떠나지는 않을 작정이다.

내 처절함이 엄마의 도피생활의 막을 내리게 했고, 엄마는
좀 더 마음 내키는대로 살 수 있었을 인생의 새로운 장을 열
지 못한다.

엄마가 새로 시작하기에는 그 시절 서울은 너무 빤했을지
모른다. 손바닥만한 서울에서 몸을 숨기기는 어려웠을 게다.
그렇다고 아무런 연고도 없는 지방 어딘가로 갈 수도 없었을
테고. 친정도 없고. 못 찾아낼 곳은 지리산 자락뿐일테지만
거기까지 갈 마음은 없었을 게다. 그 시절 한 뼘 높이 하이
힐이 어울리는 여자가 결심하기에는 너무 멀다.

서울 하늘 아래 피붙이라고는 없는 엄마가 갈 곳은 어디
에도 없었을 게다. 태생적으로 외로우니 아이들 주변을 맴
돌았을테고 드디어 발목을 잡힌 거다. 스스로 잡히려 했을
지도 모르고.

그 일로 엄마는 다시 집으로 돌아와 별일이 없었던 듯 살
지만 한번 깨진 신뢰와 어색함으로 아버지는 돈 버는 일에,
엄마는 아이들 키우는 일에 집중한다.

변하지 않는 것은 호시탐탐 아들과 며느리 사이를 이간

질하는 시어머니의 끈질김이다. 큰아들이 병을 얻을 때까지 지속된다. 물론 부추기고 장단 맞추는 시누이가 있기에 더욱 가열찰 수 있었으리라.

  훗날 엄마는 '내가 미치지 않고 살아낸 것이 기적'이라고 했다.

  김소월의 왕십리에는 '가도가도 비가 내린다'지만
  나의 왕십리도
  한때 우악스러운 천둥번개를 동반한 폭풍이 휘몰아친 뒤
  말끔히 개인적이 없다.
  추적추적 비가 내리다가
  옅어지며 안개비를 뿌리다가,를 반복한다.
  항상 내 왕십리는 축축하다.

중년의 전장戰場

친구들이 쓰러진다.

단칸방에서 신혼을 시작하고 사우디 간 남편 대신 살림을 책임지고 아이들 낳아 키우고 시부모 섬기고 자신의 일도 해가며 가정경제를 일으켜 세운 전방위 전투병인 그녀들이 쓰러진다.

치열한 삶의 현장에서 열심을 내었던 그녀들이 '암'이라는 탄환에 무너진다.

슬쩍 빗맞은 경우는 다시 추스르고 원대복귀原隊復歸를 하지만 그렇게 하기까지도 만만치 않다.

직격탄을 맞은 경우는 갈 짓자 걸음으로 비틀댄다. 병원을 드나들고 미래에 대한 불확실성으로 애를 태운다. 갖은 치료로 기력은 쇠하고 간간이 포기하고픈 마음에 시달린다.

육신의 고통으로, 여의지 못한 자식에 대한 안타까움으로, 너무도 일찍 군장軍裝을 꾸려 새로 명령받은 길로 들어서야 할지도 모를 당혹감에 허둥댄다.

너무 참지 말았어야 했는데, 하고픈 말은 하고 살았어야 했는데 하고 후회하지만 이제는 늦다. 반성이 필요한 사안이 아니다. '완전 초보운전' 인생은 후진이 없다. 애초에 백기어 자체가 장착되어 있지 않다.

예쁜 옷을 사 입고, 복직을 하고, 손주를 돌보며 우울의 늪에서 벗어나려 안간힘을 쓰지만 말끔히 털어낼 명약은 없다. 하루에도 열두 번씩 천당과 지옥을 오가며 진저리를 친다. 말로는 '주어지는 대로'라 하며 애써 초연하려 하지만 말뿐이다.

안간힘을 쓴다는 것 자체가 이미 '특별하다'는 의미다.

열심히 살아온 그녀들, 그냥 이 하늘 아래 어디에서 소임을 다하고 있다는 사실만으로 찬란한 그녀들이 등을 떠밀린다.

언젠가는 친구들의 전사戰死를 '어쩔 수 없는 일'로 받아들일 수 있을까. 무심함으로 슬픔을 달래고 지쳐 포기할 수 있을까. 오래지 않은 후에 더 좋은 곳에서 만나겠거니 자위할 수 있을까.

진행되어지는 과정 어느 시점에 내가 그 자리에 설 수도 있고 나도 언제든지 남는 자가 아니라 떠나는 자가 될 수도 있다.

굽이굽이 흘러간다.

삶의 전장에서 유탄流彈에 맞고 고꾸라지고 후송되고 피를 흘리고 정신을 놓는다. 누구는 병장으로, 누구는 소위로, 누구는 중령으로 제대한다.

그녀들의 현충원은 우리들의 가슴이어야만 하는가.

〈2012년 '어찌 지내십니까'에 게재〉

살아있는 우리도 전장으로 내몰리긴 마찬가지.

제대를 가늠할 수 없는 전투병으로 진력을 다 한다.

작별인사

I. 만남

만남은 시시하도록 평범하다.

중학생 아이와 직장을 구하던 영어 잘하는 대학졸업생.

아이는 부모에 등 떠밀려 개인과외를 받게 되고, 대학졸업생은 어려운 집안에 버팀목이 되어야 했다. 어쩌면 실질적인 가장이었을 수도 있다.

선생님은 아이에게 영어만 가르친 것이 아니라 가끔 영화를 보여주며 시간을 할애해준다. 선생님과 함께 저녁 시간을 보내는 것은 아이에게 시원한 샘물을 마시는 것과 같다. 말친구가 생겼으니까. 선생님은 마음이 쓸쓸한 아이를 눈여

겨봤을지도 모른다. 아이는 누군가의 배려에서 오는 푸근함, 자신이 이해받는다는 평온함을 맛본다. 선생님에게 달라붙어 아양을 떨지는 못하지만 외톨이가 아니라는 생각이 들기 시작한다.

'알라바마에서 생긴 일'

'로마의 휴일'

'로마의 휴일'을 보고 돌아오는 길, 아이는 물었다.

"왜 공주는 사랑하는 사람을 떠나야 하는가?"

사랑이 세상의 모든 시작이며 끝이라고 굳게 믿던 사춘기 아이는 안타깝다.

선생님은 쓸쓸히

"공주에게는 해야 할 책무가 있으니까."

아이는 새겨듣는다. 사랑보다 더 소중한 게 있구나!

마음을 읽어주고 이야기 벗으로 삼아주는 선생님이 시간이 갈수록 가슴 깊숙이 들어선다. 화사한 설레임이 아니라 은은한 포만감이다. 좀 더 생각을 자라게 해줄 다른 시각을 얻을 수 있고 비난받지 않고 속을 내보일 수 있다고 여긴다. 시들거리던 꽃대에 물이 오르는 느낌이랄까. 아이는 선생님이 의지가 되었다.

II. 이별

방학이었던 듯싶다. 낮잠이 들었다.

아마도 선생님을 기다리고 있었는지도 모른다.

두런두런 말소리에 설핏 잠에서 깨어난다. 아직 몸은 일으키지 않았다. 선생님의 목소리다.

베트남으로 가려고 합니다. 통역 일이 생겼어요.

눈을 뜰 수가 없다. 마음친구가 현실에 충실하려는데, 어린 마음에도 잡을 수 있는 상황이 아닌 것을 알아차린다. 요란한 작별인사로 달라질 것이 아닌 것도 분명하다.

아이가 깨어있으면서도 눈을 뜨지 않는다는 것을 선생님도 알았으리라. 그런 섬세한 감정을 읽지 못하는 선생님이 아니니까. 아이가 이별을 감당할 수 없어 혼자 이겨내려 한다는 것도 알았으리라. 아이가 아파할 것이라는 것도 알았으리라. 그러나 이렇게 오십 년이 넘도록 기억하리라는 것은 몰랐으리라. 아이의 집에서 돌아서 나오며 선생님도 마음이 가볍지는 않았으리라. 아닐까?

좀 더 내 곁에 머물지 않은 선생님을 원망한 적은 없다. 형편이 그러한데 어찌 내 욕심만 채울 수 있을 것이며, 기운 가세를 일으키겠다는데 고작 아이 영어과외 일에 연연하라 할 수 있는가. 선생님은 최선의 선택을 한 것이다. 진중한 사람이란 것을 알고 있었다.

선택의 폭이 그다지 넓지 않은 시절에 뜻밖의 좋은 기회가 왔는데 무엇을 망설이겠는가.

Ⅲ. 남겨진 것

선생님이 살아있다면 팔십 줄에 들어섰으리라 생각한다.

베트남전에 참여했으니 어떤 연유로 미국에서 살지도 모르겠다. 물론 한국으로 돌아왔을 수도 있고 이미 이 세상을 떠났을 수도 있다.

기억하는 것은 여자라는 것, 체격이 작은 사람은 아니었던 것 같다는 것, 말이 많은 사람도 아니었던 듯싶다는 것, 앳되게 생긴 사람도 아니었다는 것이 전부다. 이름도, 심지어는 성씨도 졸업한 학교가 어딘지도 모른다.

만나면 한 번 안아보고 싶다. 나와 함께한 시간은 짧았지만 의미있는 사람이었다고 알리고 싶다. 때때로 그리웠다고도 말하고 싶다.

덕분에 가정형편이 나아졌는가도 묻고 싶다.

그게 보람이 되긴 했는가도 묻고 싶다.

그 아이에게서 무엇을 읽었었는지도 듣고 싶다.

아직 그 모습, 배려할 줄 알고 헌신할 줄 아는 그대로 일 것이라 여긴다. 사람의 중심은 쉽게 변하는 것이 아니므로. 구체적인 것은 기억되지 않지만 만나면 알 수 있으리란 것 또한 안다. 그 느낌은 살아있을 테니까.

이별은 예고가 없고, 선선히 감내해야 할 과제라는 것을 일찍 깨달았다.

이별의 아픔은 함께 한 시간과 비례하는 것도 아니라는 것을 알았다.

긴 작별의 시간과 화려한 수사적 언사로 치르는 이별이 항상 더 아프다고 말할 수는 없다.

깊은 이별은 조용하지만 데인 자국처럼 남아 오랜 시간이 흘러도 들여다보곤 하게 된다는 것을 안다.

페이지 들추기

1950년대 중반 아버지가 공무원 신분으로 미국에서 일 년 반 근무했다. 들은 바로는 해군 문관文官으로 한국 전쟁 후 미국에서 군함을 들여오기 위해 파견되었다고 한다.

그 당시 최빈국 대한민국은 공무원이 외국 파견근무를 할 때 그 가족을 동반할 수 없었다.

엄마와 나와 내 동생은 한국에 남았고, 아버지가 보내는 사진들을 통해 미국이라는 곳을 경험할 기회가 있을 뿐이다. 미국 서부에서 근무하던 아버지는 캘리포니아 주, 워싱턴 주의 사진들을 보내곤 했다. 말 그대로 눈을 의심할 수밖에 없다. 꽃이 만발한 곳에서 아버지는 반팔 제복을 입고 웃고 있는데 멀리 보이는 산꼭대기에는 눈이 하얗게 덮여 있다.

'우째 이런 일이!' 하곤 했다.

만약, 아버지가 조기 제대를 결심하고 샌프란시스코 이모할머니 근처에 둥지를 틀었다면…

1950년대 미국으로 이민한 보통의 가정처럼 내 부모도 세탁소나 식품점을 했겠다. 엄마는 살기에 전력하느라 감성은 뒷켠에 밀쳐놓아야 했을 게다. 스물네 시간을 일해야 하니 엄마와 아버지는 싸울 절대시간도 부족했을 게다. 소가 닭 보듯 지냈을 지도 모르겠다. 차라리 두 사람의 소소한 감정적인 갈등은 적었을 수 있겠다.

두 사람의 자식에 대한 열정에는 이견이 없었으니 그곳에서도 오로지 자식 교육에 올인하며 학비를 대느라 허리 펼 사이는 없었겠다.

이미 자리를 잡고 자녀를 치과의사로 키운 고모할머니, 하젤 박의 지원으로 엄마의 입지가 좀 더 탄탄했을 수는 있겠다. 단신 월남한 엄마는 '이북 것들은…' '설탕 먹으려고 내려왔지, 저것들이…' 하며 무시당하고 구박받는 서러움에서 벗어날 수도 있었겠다.

아버지는 부모, 형제자매 치다꺼리에서 벗어나기 어려웠겠지만 태평양을 사이에 두고 있으니 숨은 조금 쉴만했을 터다. 자신의 어머니와 아내간의 갈등을 지켜보는 것이 고달파 사업을 빌미로 밖으로 밖으로 돌 필요는 없었겠다. 어차피 세탁소나 잡화점 일에 밤낮으로 붙들려 있어야 했을테니까. 책임감이 확실한 전형적인 한국의 아들이자 아버지니까.

아이들은 조금 더 낳았을지 모르겠다. 뒷바라지해야 할 동생들이 많아 자신의 자식을 더 나을 엄두는 내지 못했다고 했으니. 나이 들어 그것을 많이 후회했다.

고맙다는 소리 들으려고 맏이 노릇을 성실히 한 것은 아니지만 아들과 형님의 보람을 짓밟는 억울한 소리는 덜 들었겠다. 그 당시 국제전화로 그런 원망을 할 상황은 아니었을 테니까.

허나 한국에서 여기저기 빚을 엄청나게 지고 있을 수는 있겠다. 영등포에 신당동에 싸전, 건어물전, 만화가게를 차려달라고 해 가게를 꾸려주면 한두 해가 지나기 전에 날렸던 전적戰績이 여러 차례 있으니까. 그들은 근검절약이 무엇인지 아는 것 같지 않았으니까. 힘들여 돈을 번다는 것을 잘 모르는 듯 했으니까. 스스로 서려고 하지 않는 듯했으니까.

나는 미국식 교육을 받았을테고 좀 더 자발적이고 창의적인 소양이 허용되었을 수 있겠다. 영어 안 되는 엄마가 치맛바람을 날리지는 못했을테니 지나친 관심과 참견에서도 자유로울 수 있었을지 모른다. 불편한 집안분위기에 만성적으로 노출되는 일도 줄었을지 모른다. 부모를 실망시키지 않겠다는 과도한 성실성에 갇히기보다는 조금 편안한 마음으로 사는 법을 터득했을 수 있겠다. 어린 나이에 내가 원하는 것이 무엇인지 알았을 수 있겠다. 해야 할 일보다는 하고픈 일을 찾을 용기가 생겼을 수도 있겠다. 덕분에 좀 더 건강한 사람이 됐을 수도 있겠다.

그러면 수필가, 시인이 되지는 못했을 수 있겠다.

모두 아닐 수 있다

아버지의 부모와 형제자매가 짐을 싸 바다 건너 미국으로 몰려왔을 수 있다. 빚을 잔뜩 지고 있어서 야반도주하듯이 미국행 비행기를 탔을 수 있다.

맏아들 하나에 목을 매는 무대가 한국에서 미국으로 옮겨

졌을 뿐 아무 것도 달라진 게 없었을지 모른다.

　나 역시 사는 것이 지금과 그다지 다르지 않을지 모른다. 공부를 많이 한 여자가 운명에서 조금쯤 자유로울 수 있다고 믿던 엄마는 여전히 내 곁에 있었을 테니까. 영어하는 할머니가 되었을 뿐 그게 전부일 수도 있다. 브래지어를 하지 않고 바깥출입을 할 수 있는 정도의 자유로움은 얻었을까?
　국외자로서 사는 데에 급급해 꿈이라는 것을 아예 꾸지 못했을지도 모른다. 인종차별의 눈길에 의기소침해져서 더 조심하고 전전긍긍했을 수도 있다. 아니면 살아남기 위해 억척스러워졌든가.

　멀리 보이는 은빛 강물처럼 흘러가는 8mm 흑백영화를 보는 듯해서 씁쓸하다.
　내 부모의 작은 즐거움들을 함께 누렸으면
　그들의 소소한 웃음과 장난이 나를 행복하게 했을텐데,
　하는 아픈 생각을 하곤 한다.
　수필가가 되지 않아도 시인이 되지 않아도 괜찮았을텐데.

수학문제 1

아래에 제시한 수식들을 숙고한 후 문제에 답하세요.

1) 사람의 깊이 = 1/2 심장 + 1/2 뇌

2) 성품

$$\text{= } \frac{\text{타고난 성향+경험한 상처+경험의 강도+경험의 지속기간}}{\text{극복하려는 의지+자신에 대한 통찰}}$$

3) 만남 = 1%의 꿈 + 99%의 타이밍

4) 결혼 = 50%의 운명 + 50%의 노력

5) 행복 = 쾌락 20% + 미래를 예비하는 인내 20% + 자신을 다스릴 수 있는 의지 20% + 건강과 체력 20% + 자존심 굽히지 않을 만큼의 물질 20%

6) 물질의 넉넉함

= 노력 30% + 기회 50% + 욕심 10% + 분수알기 10%

$$\overline{\text{사회적 책무}}$$

7) 타인과의 관계 = {나 자신에 대한 긍정적 사고 × 상대에 대한 이해의 지식} + 대화의 기술

[문제] 생애를 세 단계로 나누고 그에 필요한 덕목을 간단히 서술하세요.

〈2015년 한국실험수필 2집 게재〉

[답]

i 모든 생애는 배움의 단계, 배움을 펼치는 단계, 배움을 자신에게 집중하며 마무리하는 단계로 나눌 수 있다.

이 모든 단계의 바탕에는 사람의 깊이가 관여되며 이는 생애 전체를 지배한다.

성품은 사람의 깊이에서 배어나오는데 그것은 얇은 옷감과 같아 속내를 숨기기 어렵다. 특정한 어떤 상황에서 잠시 숨길 수는 있지만 냄새와 같아 영원히 누구에게든지 어디서

든지 감출 수는 없다.

지속적으로 꽁꽁 자신을 숨기면 왕따가 되기도 한다. 다른 사람들이 그 사람이 적인지 동지인지 가늠할 수 없기 때문이다. 반면 언제나 자신을 내보이기만 하면 내 패를 항상 이마에 붙이고 다니는 꼴이 되어 얕잡혀 보일 수도 있다. 모든 게임에서 지고 만다.

위의 두 선택에서 어떤 것을 택할지 자신도 잘 모른다. 상황에 따라 상대에 따라 변화무쌍할 가능성이 크다.

ii 모든 만남은 생애 전반에 걸쳐 중요한 사안이지만 내 뜻만으로만 이루어지는 것은 아니고 나의 색깔, 태도, 스스로 느끼는 편안함 등이 영향을 미친다. 그것을 해석하는 사람의 성향도 큰 영향력을 가진다.

따라서 문제의 3)항을

만남 = 1%의 의도 + 99%의 타이밍

아니면

만남 = 99%의 의도 + 1%의 타이밍을 낚아 챌 대범함

이라고도 풀이할 수 있다.

위의 것이 정답은 아니다!

이야기들…

이야기들…

젖은 가을, 상선에게

오늘 또 비가 오는구나.

유난히 고운 가을 잎들이 고급 페르시안 카페트처럼 길에 깔렸다. 빗물에 젖은 낙엽 카페트를 밟으며 너와 런던을 떠올린다.

마지막으로 네게 다녀 온 것이 꼭 2년 전이로구나.

네가 떠난 지는 1년 반이고.

지금처럼 늦가을이었지.

너희 집에서 H와 내가 묵던 로우보우트 호텔로 가는 숲이 늘 오늘처럼 촉촉했고 발이 푹푹 빠지도록 낙엽이 쌓여있었지. 런던답게 비가 때때로 질금거렸고 숲길 운하가 물길인 것을 알기 어렵도록 낙엽들에 덮여 있었다.

10년 가까이 우리가 매달 모은 돈이 너와 스코트랜드를 여행하는 대신 네게 한국음식을 먹이러 가는데 쓰이게 될지는 몰랐다. 도날드의 이메일을 받고 부랴부랴 런던행 비행기에 올랐지. 옷가지 약간은 배낭에 담아 매고 수트케이스에는 온통 된장, 고추장, 장아찌류, 김을 넣고. 행여 공항에서 걸릴까봐 네 어머니가 챙겨주신 칠곡 잡곡은 집에 놓고도 짐은 20킬로그램을 아슬아슬 넘겼다.

　비행기에서 우린 희망을 말하지 못했다. 온통 무의미한 후회뿐이었다.

　네가 똑똑하지 않아 장학금을 받지 않았다면 영국으로 공부를 가지도 않았을테고, 기숙사에서 도날드를 만나지도 않았을테고, 런던댁宅이 되지도 않았을텐데.

　그랬다면 갓 쉰에 암에 걸릴 일도 없었을지 모르고 설혹 걸렸다 해도 한국식의 신속한 치료를 받아 단지 유방 한쪽에 조형물을 넣은 서울댁으로 살 수 있었을지도 모를텐데. 아니면 아예 유방암 같은 것에는 걸리지도 않았을텐데.

　네 결혼을 그토록 반대하신 네 어머니가 예견하신 걸까.

　단지 살림밑천인 큰딸을 멀리 떠나보내는 것이 싫으셨던 걸까.

그 시절 국제결혼에 대한 좋지 않은 인식이 부담스러우셨던 걸까.

국제결혼의 외로움을 이미 아셨던 걸까.

두루 그러셨던 거겠지.

설혹 많은 것들을 예상했다고 한들 이십 대 젊은 날 그 누가 사랑을 마다할 수 있겠니.

너는 도날드보다 더 나은 한국남자를 만날 수 있을 것 같지 않다고 했고, 학이 수놓인 하얀 한복 한 벌을 가방에 넣고 런던으로 향했다.

그 후 네가 영원으로 떠날 때까지 30년 동안 우린 고작 열 번이나 만났을까. 그래도 우린 언제나 어제 만난 것처럼 수다를 떨었고, 거짓말처럼 시간의 흐름을 느낄 수 없었지.

네 마지막을 준비하느라 네 곁에 머물렀던 일주일동안 우린 결코 슬퍼하지 않았다. 영원히 지속될 것처럼 우린 수다를 떨었다.

의사의 스테로이드 처방으로 넌 달덩이처럼 부풀어 있었고, 비록 아침을 먹고는 쉬고 점심을 먹고는 또 쉬고 저녁을 먹고는 잠드는 네 생활은 제한적이었지만 우린 틈틈이 많은 것들을 추억하고 즐거워했다.

된장찌개, 김치전 냄새로 라벤다가 내다보이는 너희 집 부엌을 진동시키면서 네게 한국을 맛보게 하려 애썼지. 우린 네게 죽을 먹이고 닭을 고아 먹이면 네가 툴툴 털고 일어날 수 있을 것처럼 간절했다.

네가 먹고플 때 먹으라면서 가지고 갔던 한국음식들을 냉장고에 욱여넣으며 우리는 그것이 부질없는 짓이라는 것을 잘 알았단다. 누가 그것들을 요리해줄 수 있겠니. 넌 이미 그것들을 요리해 네 입맛을 살리기에는 에너지가 바닥이 났고 도날드는 할 줄 모르는 것을.

우리가 네 집에서 떠나던 날, 넌 감기에 걸려 문 밖을 나설 수 없었고 마지막이 될 그 안녕을 어떻게 마무리해야 하는지 몰라 그저 '조심해라, 조심해라' 하는 말만 반복했다.

런던 공항에서 도날드는 출국수속을 하기 위해 줄을 선 우리 곁을 서성였다. 이미 여러 차례 포옹인사를 했음에도, '기정, 넌 우리 가족이야'라고 말했음에도.

그 겨울이 지나고 봄이 한창 아름다울 때 네가 떠났다는 소식을 전해 듣고 난 베란다에 주저앉아 펑펑 울었다. 시간의 문제일 뿐 그다지 예측하지 못한 일이 아닌데도 난 펑펑 울었다. 그냥 억울했다. 주변에서는 지난 가을에 널 보러 갔었고 네게 한국음식들을 먹였기에 후회가 없을 것이라고 위로했지만 그리움까지 두고 오지는 못했던가 보다.

네가 떠나고 6개월 후 몹시 춥고 바람이 세차게 불던 날 네 어머니가 널 만나러 가셨다. 그렇게 너와의 인연이 하나 둘 옅어지는구나.

도날드에게도 이제 이메일을 하지 않으려 한다. 그도 새 삶을 시작해야 하지 않겠니.

그래도 언제 기회가 되면 늦가을 템즈 강가를 거닐고 싶다. 젖은 가을의 젖은 잎새들을 벗 삼아 내 귀에 대고 내 가슴에 대고 널 이야기하고프다. 그러다보면 살만 남은 잎새처럼 네가 화석이 되겠지.

〈2009년 송파문화원 주최 제1회 한성백제백일장 일반부 금상 수상〉

심사평

　일반부 금상 한기정의 「젖은 가을, 상선에게」는 메타적 속성이
서사의 세계에서 자기 탐닉적인 요소에만 집중되지 않고 오히려
서사적 자아와 현실 자체를 해체시켜 놓고 있는 점에서 주목을
받았다. 글이 역설적 상황으로 읽혀져 흥미로웠다.

플라스틱 슬리퍼

1966년 10월 31일, 시월의 마지막 날, 미국 대통령 린든 B. 존슨이 한국을 방문했다.

대대적인 환영식이 준비되고 시민들은 길가에 나와 태극기를 흔든다. 환영식을 위해 전국 대학생 합창단이 구성되고 사열에 의장대 병사들이 대거 동원된다.

정화는 합창단원이다.

윤수는 해병대 의장대로 참여했다.

연습과 행사 중 피아노 전공의 감성적인 정화와 건장하고 진지한 윤수는 서로에게 끌린다. 누가 먼저랄 것도 없다.

행사 후 수고한 젊은이들을 위한 뒤풀이가 있었고 이는

결정적으로 그들의 운명에 불씨를 붙인다. 미국 대통령이 중매쟁이인 셈이다.

대학생이던 정화와 군복무 중이던 윤수의 데이트는 여러 장소에서 여러 형태로 이루어진다.

정화가 임신을 했다.

정화는 대학생이고 윤수는 상병조차 달지 않았으니 그 길이 순탄해 보이지 않는다.

정화는 어머니에게 친정집에서 살게 해 달라고 간청을 하지만 어머니는 단호하다. 딸을 내쫓았다. 언니가 아직 미혼이라는 것과 남부끄럽다는 것이 이유다.

정화는 나날이 늘어나는 허리를 가지고 윤수 집으로 들어간다. 다른 대안이 없다. 윤수 형님과 형수님, 조카들이 있는 집으로 가 문간방 차지를 한다. 눈엣가시다. 스스로도 눈치꾸러기를 자처한다.

비로소 정화는 피아노도 학교도 사치라는 것을 안다. 그것들이 특별할 것 없던 그때가 인생 최고의 시간들이었다는 것을 안다.

넉넉한 집 둘째 딸로 천방지축 살았지만 지금은 먹고 싶은 것을 먹을 수도 없다. 몸도 마음도 허기가 진다. 주눅 들어 사는 생활은 지옥 그 자체다. 처녀가 임신을 해 시집에 얹혀 산다는 것도, 밥벌이 못하는 신랑이 사람대접받지 못하는 것도 견디기 어렵다. 그나마 의지가 될 신랑은 군부대에 있고 어디에도 내 편이 없으니 방에 틀어박혀 우는 것이 일이다. 방 안에 있어도 방 밖에 있어도 바늘방석이다.

정화에게도 형님내외에게도 면목이 없고 미안해 윤수 역시 좌불안석이다. 할 수 있는 게 아무 것도 없다. 피할 수도 발을 담글 수도 없다.

아기가 태어났다.
상황은 더욱 나빠졌다.
윤수는 제대를 하지만 밥벌이해 처자식을 먹여 살릴 길은 요원하다. 형님에게 학비도 대고 먹여 살리기도 해달라고 할 수는 없다. 대학을 그만 두었다. 그래도 나아질 것은 없다. 나날이 말수가 적어졌다. 아내에게도 자식에게도 살갑게 할 수 없다. 자기 하나 지탱하는 것도 힘들다. 벗어나보려고 허우적대는 일에서도 서서히 힘이 빠졌다.

아이가 커가며 정화가 조금씩 이상해졌다. 주변에서는 실성失性했다고 한다. 자신에게 주어진 현실을 견뎌내지 못해

넋을 놓아버린 것이다. 현실을 잊는 것이 사는 길이다.

친정어머니는 딸을 정신병원에 입원시킨다.

정화가 사망하기까지 십여 년, 어머니는 홀로 병문안을 다닌다. 자신의 업보라 여기고 자녀들 누구에게도 그 짐을 거들어 달라고 하지 않는다.

딸이 죽었을 때 다행이라고 했다. 자신이 그 치다꺼리를 하고 죽을 수 있어서 천만다행이라고 했다.

당신이 세상을 떠나는 날까지 정화를 그때 내쫓지 않고 거두었으면 그런 일은 없었을 거라며 후회했다. 독하게 살아낼 줄 알았는데 섬세하고 여린 딸이 그것을 해내지 못한 것이 불쌍하고, 그런 모진 결정을 한 자신이 밉다.

정화가 죽고는 모든 것이 원래대로 돌아온 것 같다.

대구 큰집에 남아있는 정화의 아들에 대해서도 잊으려 한다. 어쩔 수 없는 일이라고 애써 외면한다. 젊은이들의 폭풍처럼 휘몰아쳤던 사랑의 열병도, 그로 인한 가족들의 아픈 기억도 묻었다. 그 잔인한 시간들을 진공포장해 다시는 꺼내지 않을 요량으로 타임캡슐에 넣어버렸다. 없던 일로 여겼다.

오랜 시간이 지난 어느 날 홀연히 윤수가 장모께 들렀다.

완전 거지꼴을 하고 윤수가 왔다. 한눈에도 술로 온 세월을 보낸 흔적이 역력하다. 어디서 어떻게 떠돌다가 왔는지 말하지 않는다. 묻지도 않는다. 어떻게 뭔가를 기억해내어 옛 처가에 들른 것이 기적일 뿐이다.

겨우 아물려는 상처를 칼로 헤집는 것 같은 아픔들이 쓰나미처럼 정화네 가족을 덮친다. 예고도 예감도 없었다. 그냥 한순간에 일이 닥쳤다.

윤수는 그 아픔과 그 후회와 그 서러움과 그 고통에서 아직도 버둥거리고 있는 듯했다. 어디까지가 현실이고 어디까지가 기억인지 구분하지 못한다.

정화가 이제는 세상에 없다고 말하는 장모의 말을 자기와 딸을 떼어놓으려는 것이라고 받아들인다. 정화가 어머니 손에 끌려 자신의 곁을 떠났던 것밖에 기억되는 것이 없기 때문이다.

윤수는 한 번만 보게 해 달라고, 한 번만 만나게 해주면 다시는 찾아오지 않겠노라고 울며 매달린다.

끝내 아내를 만나게 해주지 않는 장모에게 윤수는 신문지에 둘둘 만 플라스틱 슬리퍼를 옷섶에서 꺼내 조심스레 내

민다. 정화를 보여주지 않아도 좋으니 이것만은 건네 달라고, 이게 마지막 일테니 꼭 전해달라고 했다. 미안하다고 하더라고 말해달라고 했다. 그리고 정말 미안하다고 했다.

그 후 윤수 소식은 모른다.
정화네 집에서도, 대구 윤수네 집에서도 알지 못한다.
그렇게 한때의 사랑으로 그들은 스러져갔다.

〈현대수필 2011년 봄호 신인상〉
〈2011년 현대수필 등단작〉

심사평

세상엔 '사랑'이란 미묘한 실체로 스러져간 사람들이 적지 않다.
지상의 원동력도 사랑의 힘에 의한 발로라고 생각된다. 여러 형태의 사랑이 있지만 무엇보다 사람을 생멸시키는 남녀 간의 사랑이 우선이다.

한기정의 「플라스틱 슬리퍼」는 애정소설 같은 소재를 수필이라는 장르를 빌어 펼쳐 보이고 있다.

사실 그 자체를 고백하면서도 그 세계에 온전히 매몰되지 않고 거리감을 유지하며 생채기를 쏟아내고 있다. 이런 사연들이 적지 않은 세상이지만 글쓰기의 마력과 그 힘이 주는 매력으로 혼탁한 세계를 진정시켜가며 사고의 길로 접어들게 하니, 문학이 주는 연금술은 그 어느 예술보다 우위에 있음을 실감한다.

'현실을 잊는 것이 사는 길이었다' 결국 '친정어머니는 딸을 정신병원에 입원시키고 말았다'는 이 작품은 지상의 모든 이들에게 공감되지 않을 수 없다. 잔인한 시간들을 꼭꼭 묶어 땅속 깊이 매장했지만 계절병처럼 솟아나는 고질병 같은 것이어서 주변을 힘들게 하고 있다. 아픔 속에서도 그 사랑에 때 묻지 않은 순수함이 배어있어 싱그러운 영혼들을 보는 듯하고 경이로움까지 배어있다.

사람들은 대부분 그 병이 깊을수록 침묵으로 살아간다. 정신적 흑풍을 조심스럽게 조율하며 입술을 다물어 버린다. 그래서 그런지 한기정도 가까운 사람의 사건을 멀리서 응시하듯 담담하게 써내려가고 있다.

정화 어머니의 심원한 가슴과 축축하게 시들어 간 정화의 영혼, 반실성한 듯한 모습으로 '플라스틱 슬리퍼'를 옷섶에 숨기고 장모에게 찾아 온 윤수가 엊그제 일처럼 생동감을 주고 있다. 이들은 인생이 만만치 않음을 가르쳐 주며 '완전한 형태에서는 그 어떤 사랑도 영글지 않는다'는 철학까지 제시해 주고 있다.

객관적인 안목으로 써내려 간 이 작품은 수필로서 낯선 기법까지 선보이고 있어 묘하게 조화를 이루고 있는 작품이다.

시골역의 그녀

미서부 워싱턴 주 외진 시골마을, 작은 기차역.

기차표 판매소만 덩그러니 있는 철길에 건조하고 청명한 봄볕은 진력을 다해 내리꽂힌다. 간간이 자갈 밟히는 소리만 있을 뿐 나른하도록 고요하다.

기차를 기다리는 사람은 우리와 두 사람, 미국인으로 보이는 청년과 그의 파트너인 동양인 여자가 전부다. 모습은 초췌하고 검은 긴 머리카락은 차라리 이국적이다.

그들은 조금쯤 맥이 빠져 있고 오래 산 부부처럼 말이 없다.

우리가 이야기를 두런두런하자 여자는 놀라는 듯 슬그머

니 청년에게서 멀어지며 멀찍이 다가선다.

한국말을 알아듣는 눈치다. 여자가 한국사람이구나, 싶다. 말을 이해하는 사람만이 보일 수 있는 눈빛이다. 공감. 여자는 경계와 관심을 함께 보인다. 자신의 존재를 감추려는 것과 원천적인 그리움이 공존하는 몸짓이다.

의외의 곳에서 마주친 익숙함의 문턱에 발을 걸치고 다가서지도 멈추지도 못한다. 흔들리는 망설임으로 오랜 망각의 장들을 들추는 기색이다. 눈길은 거두지 않고 거리를 유지하며 우리 주변을 서성인다. 피부처럼 자연스러운 모국어에 눈동자는 흔들리고 잊었던 깊은 어둠이 드리운다.

오후의 태양은 따갑게 내리쪼이고 시골역 자갈밭은 하얗게 사위는데 그녀는 고독하다. 속한 곳이 만족스러운 것 같지도 않고 굳이 속하려 애쓰는 것 같지도 않다.

그녀는 무슨 사연으로 이 낯선 고장에서 넉넉하지도 살갑지도 않은 남자와 같이 있기로 마음먹은 것일까.

왜 건조하고 생소한 곳에 닻을 내리려 했던 걸까.

나은 삶을 원했음에도 불구하고 고향에서나 타향에서나 생활이 녹녹치 않은 것일까.

돌아가고파도 명분과 반길 이가 없는 것일까.

너무 멀리 와 버려서 이제는 되돌리기에 너무 늦은 것일
까.

　치익—!
　작은 기차는 역으로 들어서고 울 것 같은 그녀와 헤어진
다.

뷰티 샵

흔하지 않은 주인의 이름을 내건 허름한 미용실이 점집 옆에 있다. 오래된 빨간 벽돌로 된 주택을 이발소와 등을 지고 나누었다. 보행자도 별로 없는 외진 곳에 초라한 모양새와는 달리 「위현나 뷰티 샵」이라는 간판을 맵시 있게 걸었다.

그 아이, 일찍 어머니를 여의고 아버지와 오빠, 여동생을 호령하며 살던 그 아이의 이름과 같다. 세련되고 현대적인 이름. 특별한 성에 특별한 이름. 그 시절 특별한 감각을 가진 부모가 아니면 지을 수 없는 이름.

뷰티 샵, 그 집 앞을 오가며 궁금했다.

진짜 그 아이일까. 어쩌다가 이런 구석진 곳에 터전을 잡았을까.

겨울을 재촉하는 비가 넉넉히 오는 날, 큰 결심을 하고 그가게에 들어선다. 미닫이문 소리가 유난히 크다.

열 평이 될까 싶은 미용실에는 전면 거울에 미용의자가 두 개, 한구석에는 세면대, 빛바랜 커튼 뒤쪽에 침대가 있다. 다른 구석에는 네일 아트 도구들이 작은 테이블 위에 옹기종기 놓여 있다.

근무하는 사람은 주인 혼자다.

어서 오시라, 맞는 주인을 보는 순간 왜 쓸데없는 짓을 했나 하는 후회와 더불어 오래 전 귀염성 있던 그 아이의 얼굴을 단번에 알아본다. 얼굴 모양새와 표정에 시간의 켜가 내려앉기는 했지만 그 아이가 맞다. 눈빛이 그대로다. 도도함으로 아직 버티고 있는지 날카로움과 분노를 적당히 버무린 낯빛을 하고 있다. 조금쯤은 지쳐 보이기도 한다.

되돌아 나가고 싶지만 그러지 못하고 마사지를 받고 손톱을 만진다.

그 아이는 주인장답게 조곤조곤 서비스에 필요한 말을 건낸다.

콧등에 검버섯이 있으시네요, 빼시면 한결 젊어 보이실 텐데요. 흰머리가 많지만 숱이 많아 괜찮으세요. 손관절도 아직 건강하시고요.

한동안 말이 없다.

어머니가 일찍 돌아가셨죠. 열다섯부터 엄마노릇을 했어요. 아버지가 넉넉히 버셔도 쓰임새가 헛헛해 돈이 모이지를 않았죠. 집에 일하는 아주머니가 있어서 살림은 살펴주었지만 가계를 꾸리는 것은 제 몫이었어요. 자연히 돈에 관심이 컸지요. 손가락 사이로 새어나가지 않도록 하려니 식구들 일상에 일일이 간섭했어요. 우리 집의 절대권력자가 되었죠. 아버지도 제게서 용돈을 타셨어요. 아버지도 절 어려워하셨죠. 게다가 어머니의 이른 죽음이 아버지 탓이라 여겼어요. 툭하면 '엄마가 왜 일찍 죽었는데!' 했지요. 엄마 살아생전 아버지가 바람을 피우셨거든요. 제가 무서워 재혼할 생각은 언감생심이셨을 거에요. 그래선지 아버지도 오래 못 사셨어요. 오빠가 졸업하고 군의관으로 있으면서 결혼을 했는데 그 직후였죠. 올케와 난 재산 싸움을 했고 둘 다 한 치의 양보도 없었죠. 올케는 자신이 하나뿐인 며느리라 제사 모

시는 것은 자기라고 했고 나는 이 집 재산은 내가 모은 것이
라고 했죠. 결국 다시는 보지 않게 되었어요. 간간이 오빠를
통해 소식을 들을 뿐이에요.

동생과 난 아버지 유산으로 생활을 시작했는데 그 아이
도 저도 대학을 졸업하지 못했어요. 공부에 마음을 붙이기
가 어려웠어요. 생활이 우선이었지요. 돈은 늘지 않고 악만
늘어갔어요. 빌려준 돈을 받으러 밤늦도록 실랑이를 하고
들어온 어느 날 그 아이에게 분풀이를 했죠. 어머니가 돌아
가신 후 힘들었던 일들이 모두 그 아이 탓인 듯이요. 너 때
문에 시집도 갈 수 없다, 뭐 이런 식이었죠. 그 아이는 억울
하죠. 정도 떨어졌을 거고요. 그 일로 그 아이와도 헤어졌
어요. 집을 나갔어요. 편지 한 장 남기지 않고 사라졌지요.
말 한마디 않고 굵은 눈물만 흘리며 나를 노려보던 그 아이
의 눈빛을 잊을 수가 없어요. 지금 어디에 살아있는지 아니
면 죽었는지 알지 못해요. 누군가 그 아이를 청량리에서 본
적이 있다고 해 여기에 미용실을 냈어요. 혹 그 아이의 눈에
띌까 하고요. 그래서 제 이름을 걸었어요. 매일 점심 후 한
시간씩 역으로 산책을 나갑니다. 역에서 서성이다 들어오지
요. 벌써 십여 년이 됐어요.

긴 침묵.

돈을 건네고 돌아서 문고리를 잡는데 그 아이가 말한다.

언니, 그때 미안했어요. 오빠도 후회해요.

오빠가 의사가 된다고 대단한 권력을 얻은 양 위세를 부렸
다. 돈놀이 할 밑천이 더 필요하다고도 했다. 순순히 응하지
않는 내게 해악을 했다. 거침없이 오빠와의 결혼을 방해했
다. 오빠도 엉거주춤했다.

그 아이는 그것을 기억하고 있다.

잠시 멈칫했지만 '안녕히 계세요' 하는 의례적 인사를 남
기고 미닫이를 연다.

겨울비 속으로 나선다.

* 「위현나 뷰티 샵」은 실제로 존재하는 미용실이 아닙니다. 작
가의 순수한 상상에 의해 구성된 것입니다. 동일한 이름의 미용
인, 미용실이 있다면 오해 없기를 바랍니다. 우연일 뿐입니다.

〈현대수필 2015년 봄호 게재〉

유령 엄마

딸은 집에 들어서며 뭔가 바뀐 것 같다고 생각한다.

살펴봐도 변한 것은 없는데 그렇게 느껴진다. 공기가 다르다.

내가 아일랜드 위에 물 컵을 놔두고 나갔나…

아이가 들어왔다 갔나… 그럴 수가 없는데…

식구가 달랑 세 명이고 각자 바빠 낮 시간에 집에 들어올 인물이 없다. 가족이 들어온 흔적치고는 너무 반듯하다. 변한 게 없다.

강의와 학생지도, 속한 학회 총무 일에 동분서주하며 살지만 깔끔해서 살림에 소홀하지 않은데 조금 이상하다.

최근 들어 그런 일이 종종 있다.

엄마는 집을 나와 지하철을 타고 열아홉 정거장만에 내려 딸네 아파트로 들어선다. 딸이 없을 시간인 지 알고 있다. 딸이 낮 시간에 집에 있다면 아플 때뿐이다.

느린 동작으로 빈 아파트의 문을 열고 들어서 소파에 앉는다.

가만히 앉아있다.

그렇게 지내기를 몇십 분. 그저 앉아 있다. 아주 가끔 물을 한잔 마시기도 하지만 그런 일은 거의 없다. 조각품처럼 앉았다가 스르르르 일어나 딸네 공간에서 빠져나온다.

딸네 아파트를 나선다.

갔던 길을 역으로 되짚어 집으로 온다.

세 시간은 소모할 수 있다. 오며가며 사람들 구경도 하고. 누구와도 말을 섞는 일은 없다. 아직 외출이 여의한 것이 다행이다. 무릎이 아프지만 걸을 수 있고 길을 찾고 어느 정류장에서 지하철을 갈아타야 하는지 인지하는데 문제가 없다.

연기처럼 한 공간에서 사라져 다른 공간으로 이동하는 것이다.

박사 딸, 박사 며느리 두고 손자 들쳐 업고 다니며 자랑하는 여편네가 미친년이라더니 엄마가 딱 그렇다.

일하는 딸과 평생 영화구경 한번 같이 한 적이 없다. 이제는 봐줄 아이도 없지만 그렇다고 시간을 나눌 딸도 없는 셈이다.

그저 자랑만 한다. 내 딸이 잘났다고.

내 딸이 잘나 내가 외롭다고는 말하지 않는다.

그래서 더 외롭다.

거실바닥에 낯선 머플러가 떨어져 있다.

딸은 알아 차린다. 자신이 없을 때 엄마가 들르는 것을. 그 것도 꽤 오랫동안 그래왔다는 것을.

근본적으로 바꿀 수 있는 것이 별로 없다는 것도 안다. 일을 그만둘 수도 없다. 엄마를 가까이 옮긴다고 해서 달라질 것도 없다. 자신은 종일 나가 지내고 일에 쫓기니 말벗이 못 되기는 매한가지다. 엄마의 몇몇 동네친구만 떨굴 뿐이다. 선택의 폭이 넓지 않다. 고작해야 전화를 좀 더 자주 하는 정도랄까.

엄마는 그저 갈 곳이 있다는 것, 내게 딸이 있다는 것, 딸이 숨 쉬는 공간 속에 잠시 머무를 수 있다는 것이 위안일 뿐이다.

딸네 일을 거들어주지도 반찬을 만들어다 주지도 않는다.

그저 딸의 공간 속에 가만히 머무르다가 되돌아간다.
매일 반복되는 엄마의 외로운 나들이다.
끝이 보이지 않는 짝사랑이다.

그 아이와 여자친구

죽어가는 친구의 집에 들러 한국음식을 해 먹이며 머문 일주일 동안 친구의 아들, DNA의 반은 한국인이지만 국적도 체질도 영국인인 그 아이는 주말에 집으로 온 여자친구와 거실소파에서 애무와 유사 성행위를 연출한다. 백주 대낮에 부모도 엄마 친구들도 존재하지 않는 것처럼 그런다. 19금禁 에로영화를 손이 닿을 듯한 거리에서 본다.

거실과 부엌이 붙어있어 음식을 하려면 우리가 드나들어야 하는데 아랑곳하지 않는다. 자신들의 방으로 올라가지도 않는다. 자신들의 은밀한 과제수행이 목적이 아니라 뭔가를 과시하려는 것이 아닌가 싶다.

우린 그들의 교성과 뒤엉킨 발치를 넘나들며 된장찌개를

끓이고 김치전을 부치며 저녁상을 준비한다.

　민망하기보다 그 아이들이 싫다.

　죽어가는 엄마 면전에서 보이는 '너는 너, 나는 나' 식의 행위로 읽힌다. 죽음과 젊음은 공존할 수 없는, 굳이 예를 갖춰야 할 필요도 없고 그런 별개의 세계에 내가 왜 동참해야하는지 비웃는 것 같다.

　부끄러운 한국인 엄마를 견뎌온 것에 대한 분노인가. 심지어는 동양인에 대한 멸시로까지 확대 해석된다. 죽어가는 친구를 보기 위해 지구의 반 바퀴를 돌아온 엄마 친구들을 모욕하려는 메시지인가.

　달려드는 여자친구를 거절하지 못한 결과인지

　곧 엄마를 떠나보낼 슬픔을 그렇게나마 잊으려 용을 쓰는 것인지

　오래 앓는 엄마에게 진저리를 치는 것인지

　그 와중에 한국음식 먹이겠다고 들이닥친 아줌마들에게 짜증이 난 것인지 알 수 없지만

　내 눈에는 숭고한 죽음에로의 과정이 경멸당하는 것 같다.

　동서양의 문화차이와 나이의 많고 적음을 떠나 인간적으로 턱없이 무감정하고 배려 없는 처사 아닌가.

친구가 결혼하고 영국에서 살림을 차리며 가장 힘들었던 것이 영국식 문화에 '끼어들지 못함'이라고 했다. 오랜 역사와 전통을 가진 그들의 식탁 테이블의 일원이 되려면 기본적으로 셰익스피어의 희곡들에 대한 이해가 필요하다. 이해 정도가 아니라 골수에 녹아있어야 한다. 영어실력의 문제가 아니다. 온 가족이 왁자하고 웃을 때 웃을 수가 없는 거다. 우리가 대화 중 오랜 속담을 공유하며 공통된 정서를 확인하듯 그들의 소통에는 리어왕의 대사와 은유가 올올이 박혀있다. 그들의 문화유산이기에. 그들에게는 공기와 같기에. 그들은 그 공기로 호흡하기에. 어쩌면 그들의 우월감이 한 몫 했을 수도 있다. 어쨌든 친구는 자신이 아웃사이더인 것을 면하기 어렵다. 그들이 의도적으로 거부했을 수도 있고 친구 스스로 주눅들은 탓일 수도 있다.

세상을 사랑만으로 끌어안을 수 있다고 여기던 젊은 시절, 가난한 나라 대한민국의 공부 잘하고 자존심 강한 작은 아가씨가 스스로 대영제국이라 일컫는 나라에서 어떻게 살아냈을까. 법적으로는 런던댁宅이 되었지만 문화적으로 영국인이 되는 것은 요원하다. 영원히 될 일이 아닌지도 모른다. 영원한 타자他者.

상대와 동의하기 어려운 의미체계를 가진다는 것은 이해 받기 어렵다는 것일테고 또한 선뜻 다가설 수 없음을 뜻한다. 친구가 이 사람보다 나은 사람을 만날 수 있을 것 같지 않다며 상심하는 부모를 떠나 낯선 땅에서 보낸 삼십 년 가까운 세월은 자신의 평온을 끊임없이 재해석해 위안하는 것이 전부였을까.

　후회한다는 말마저 허락할 수 없었던 후회의 시간들이었을까.

　그 아들을 키우며 친구는 행복했을텐데….

　시간이 흘렀으니, 그 아이도 지금쯤 다른 생각을 하고 있을지 모른다. 나이도 들었고 어쩌면 결혼을 해 아버지가 되었을지도 모른다. 벗어나고 싶었던 그 시간들에서 멀리 왔으니 이제는 달라졌을지 모른다.

　낙엽이 흩날리는 계절이 되면, 넓은 뒷마당에서 애들이 한껏 뛰놀 수 있는 집을 사서 행복하다던 친구가 생각난다.

〈조선문학 2015년 4월호 게재〉

고운 사람

인물 곱고 심성 여리고 솜씨 야물어 똥 빼고는 버릴 게 없
다던 사람, 나의 큰고모.

학교 보내달라고 울며 매달려도 아버지는 계집애가 배우
면 자기주장하고 거세져 못 쓴다며 종내 한글만 깨치게 했
다. 어린 나이에서부터 맏딸이라고 집안일에 부린다. 어머니
는 계속 동생들을 낳았고 구정물에 손 담그는 법이 없다. 자
고 일어나면 빨래며 밥 짓기며 바느질이 맏딸 몫이다.

스무 살 무렵 한 살 위 신여성 올케가 들어왔다.

피난 시절 해군에서 징발한 부산 중앙여관 방 하나에 열
세 식구가 오글거리는데 막냇동생은 다섯 살이다. 밥은 숯으

로 부채질하며 지으니 통상 삼층밥이라 위의 설은 것은 따로 걷어내 다시 밥을 짓는다. 부엌 차지 그녀와 올케에게는 시커멓게 탄 누룽지나 차례가 온다. 빨래는 강가에 나가 양잿물로 다스려야 한다. 빨래 양푼을 이고 올케에게 '언니는 따라만 오시오' 하며 앞장선다.

올케는 일을 전혀 할 줄 몰라 절절맨다. 시누이는 어머니 눈치를 피해 올케를 이리저리 편한 일로 빼돌리고 새벽에도 좀 더 자라고 방으로 등을 떠밀곤 한다.

중매쟁이에게서 오빠의 친구를 소개받는다.

크게 나무랄 구석은 없다. 월남 해 가족이 없어 단출하고 인물도 반듯하고 직업도 은행원이니 굶을 일이야 있겠는가. 친정을 떠나고 싶은 마음에 초조한 것도 한 몫 했으리라. 그 시절로는 꽉 찬 나이이기도 했고.

아들을 하나 낳을 때까지는 무난했다. 흠이라면 남편이 밖으로 돈다는 것이지만 그러려니 한다. 직장에서 잘 나가는 듯했던 남편은 빠마하고 원피스 입은 여자들과 어울리고 급기야는 공금에 손을 댄다. 그 이후 다시는 일자리를 얻을 수 없다. 그 바닥에서 회삿돈 빼먹은 놈으로 호가 났고 아무도 그 사람을 돈 되는 일에 가까이 두려하지 않기 때문이다.

아이들이 늘어나고 더 이상 오빠에게 보태달라고 하기도 면목이 없어 스웨터 공장에 나가기 시작한다. 얌전하고 너그럽고 솜씨 좋은 그녀는 공장에서 보물 같은 존재가 되어간다. 마침 한국이 수출에 매진하던 시기와 맞물려 일거리는 몰려들고 관리자가 되어 퇴근이 늦어진다.

하릴없이 종일 마누라를 기다리는 남편의 앙탈은 날로 강도가 거세진다.

퇴근해 집에 들어서면 조공 바치듯 남편의 군것질거리를 방으로 디밀고는 부엌으로 직행, 꺼진 연탄불을 살리고 저녁거리를 서둘러 준비한다. 화낼 궁리를 하며 턱 받치고 기다렸으니 퇴박이 벼락친다.

부뚜막에 엎드린 뒤통수로 남편의 욕설과 함께 재떨이며 쟁반이 날아온다. 어느 놈을 붙어먹다가 이제 왔느니 남편 알기를 개떡으로 알아 냉골에서 지내게 한다느니 너 같은 년은 내 손에 죽어야 한다느니. 악담 뒤에는 분에 못 이겨 맨발로 뛰어내려와 마누라 머리채를 휘어잡고 매질이다. 공장바느질로 등짝이 빠개질 듯 아파 들어선 마누라는 저항할 엄두를 내지 못한다. 남편에 저항하는 것을 배운 적도 없고 생각해본 적도 없다.

아버지가 그리도 간직하게 하고 싶어했던 온순하고 선한 성정이 무슨 쓸모가 있는가. 오히려 운명의 짐을 무겁게 할 뿐이다.

공장에서의 쓰임새는 많아졌지만 살림은 필 조짐이 없고 남편은 나날이 더욱 그악해진다. 낮시간 동안 스스로 분을 돋우며 벼르고 앉아 있으니 에너지가 솟구치는지 남성의 권위를 내보이는 유일한 것이 그것이라 여기는지 녹초가 된 마누라를 범하고 또 범한다. 아이들은 자꾸 태어나고 자라났지만 공부를 할 마음들은 잡지 못하고 열댓살만 되어도 돈을 번다며 집을 떠난다. 돈을 벌으니 내놓으라고 포악을 떠는 아버지에게 맞서다가 눈 하나를 잃은 딸도 진저리를 치며 떠나갔다. 고운 사람은 관성으로 사는데 숨쉬기가 점차 힘들다. 아직 사십 대인데도 자신이 죽는 것은 아닐까 하는 생각을 매 순간 한다.

어느 쉬는 날 고운 사람은 공장에 가는 듯 집을 나선다. 큰 맘 먹고 오랜만에 깔끔하게 분홍스웨터를 차려입고 올케에게 들른다.

이게 얼마만이오.

서로 손을 부여잡고 기뻐한 것도 잠시, 올케는 고운 사람의 턱밑이 남자 주먹만큼 부풀어 있는 것을 본다. 병원엘 가야겠소, 권하지만 내가 그럴 짬이 어디 있나요, 할 뿐이다.

그동안 애들 학비 대 줘 참으로 고맙소, 하고는 악마 같은 남편의 저녁밥을 지으러 서둘러 떠났다. 올케가 찔러준 차비를 넣은 작은 손지갑과 하얀 손수건을 꼬옥 쥔 채.

그로부터 며칠 후 겨울로 다가서는 짙은 가을.

나는 논문 마무리를 위해 인쇄소에서 밤을 새운 11월의 새벽, 공중전화로 고모의 소식을 듣는다. 엄마의 흐느끼는 목소리를 침묵 속에 듣는다.

'고모, 갔다.'

고운 사람은 공장에서 퇴근해 여느 때처럼 사정없이 매를 치는 남편을 피해 저녁도 굶고 방 한구석에서 잠을 자다가 숨을 거뒀다. 마지막 검불 한가지가 나귀의 등을 부러뜨리고 말았는지도 모르겠으나 고운 사람은 그렇게 한 많은 세상의 끈을 놓았다. 고운 심성이 철저히 배신당한 삶을 내려놓고 떠났다.

떠나는 순간 이제야 족쇄가 풀리는가 안도했을까.

올케는 아깝다고, 억울하다고 울고 또 울며 장례를 치렀고 그때 강제로라도 병원엘 데리고 갔어야 했다고 두고두고 후회했다. 그 이가 아니었다면 난 이 집에서 애초에 쫓겨났을 거라고 평생 뇌이곤 했다.

고모는 우주 한 구석에 숨겨진 듯 작은 별이 되었을까.

따라 죽은 남편을 피할 수는 있었을까.

해 후

남자는 살아있는 동안 때때로 그 날의 사건을 떠올리곤
했다.

없었던 일처럼 잊고 지내다가도 불현듯이 떠오르면 가슴
이 주저앉는다.

여자는 공중제비하듯 하늘을 날다 치마를 뒤집어쓰고 보
닛에서 구르며 땅으로 곤두박질쳤다. 둔중한 소리가 짧게 들
렸다. 설핏 흰 머리카락을 본 것도 같고 아주 짧은 순간 눈
을 마주친 듯도 싶다.

망막에 새겨놓은 듯 생생하다.

어둑해지던 시간, 겁에 질려 액셀을 밟으며 멀리 보랏빛이

번지기 시작한 하늘 속으로 미친듯이 내달렸다. 텅 빈 길은
영원처럼 펼쳐져 끝머리에 오렌지빛 해를 붙들고 있다.

그런 시간 그런 장소에 왜 나타난 걸까.
죽었을까.
본 사람은 없을까.
범퍼에 피가 묻은 것은 아닐까.
어떻게 유리창이 깨지지 않은 것일까.

한참을 달리던 중 경찰차의 경고등 불빛도 사이렌 소리도
들리지 않자 숨을 돌리며 길가에 차를 세운다. 손은 여전히
벌벌 떨리고 심장은 뜀박질을 멈추지 않는다. 둘러보니 자동
차는 말짱하다. 교통사고의 흔적 같은 것은 없다. 미등커버
에 금이 가기는 했지만 수리를 맡길 만큼은 아니다.

이제는 되돌리기에 너무 늦었다.
좀 전의 그 일이 정말 있었던 것일까.
꿈결 같고 머릿속은 하얗다.

시간이 지나며 완전범죄의 확신이 서자 사건은 점차 기억

에서 옅어져 간다. 어쩌다 생각이 드는 때는 숨이 몰아쉬어 지지만 견딜 만하다. 심지어는 궁금해져 그 장소를 지나쳐 보았는데 그런 일은 모르는 듯 평화로워 안도가 되기도 한다.

남자는 생각보다 이른 나이에 죽음을 맞이해 하늘나라에 입문하게 되었다.

들어가는 길목에서 수문장은 기다리는 사람이 있노라, 전한다. 깔끔하고도 소박한 응접실로 들어서니 웬 여인네가 다소곳이 앉아있다. 만난 적은 없는 것 같은데 감각이 뭔가를 알아챈 듯 덜컥 속이 흔들린다.

젊은이, 오랜만이오.

나를 잘 기억하진 못하겠지만 산길에서 젊은이 차에 치인 그 할미라오. 놀라지 마오. 부러 기다린 것은 아니지만 하고픈 말이 있어 기다린 것은 맞다오. 탓하려는 것이 아니오. 젊은이나 나나 서로 고의적이고 악의적으로 저지른 일은 아니니.

나야 그 때 이미 팔십을 넘긴 나이고 하나 있는 자식은 좋은 직장에서 인정받고 온화한 아내와 오손도손 손주들도 낳

앗다오. 몇 해 전 가지고 있던 약간의 부동산을 비즈니스호텔로 만들어 전문가에게 경영을 맡긴 상태였으니 남부러울 게 뭐 있나. 게다가 장학금도 넉넉히 내놓아 아주 근사했지. 완벽했어. 나는 욕심나는 것이 없었지. 어떻게 하면 끝시간을 잘 마무리하나 고민하는 게 전부였으니까. 영감이 부르면 갈 채비는 완전한데 그게 언제일지가 알 수 없는 거야. 그때부터는 그저 시간을 죽일 참이었던 거지. 쓰일 데가 없으니 먹고 자고 깨고를 반복하면서 말이야.

노인들 취미활동 할 곳이 많은 나라에 사는 덕분에 사느라 바쁠 수는 있었지. 그런데 노는 것을 별로 좋아하지 않는 내 성향이 문제였다오. 사는 게 재미가 없었어. 취미활동을 숙제하듯 하는 꼴이었으니 말이야. 게다가 친구들도 하나둘 먼저 가고 다리 힘마저 빠져 모임도 뜸해져서 몹시 외로움을 타는 시간들이 밀려오곤 했다오.

지금이야 고백이지만 괜스레 목이 메고 질식할 것 같은 때도 잦았지. 호젓한 시간에는 덜컥 겁이 나기도 했어. 이런 시간이 한없이 길어질까 봐서. 혼자 견뎌야 할 시간이 길어질까 봐서. 남의 손을 빌리는 시간이 길어질까 봐서. 그러니 아들 내외를 슬슬 고생시킬 참 아닌가. 육신이던 정신이던 시들어 여기저기 고장이 나면 애들을 불러대곤 하지 않겠

나. 걔네들도 살기 바쁜데 나까지 짐을 얹을 참이었다오.

젊은이 덕분에 아들 내외를 고생시키지 않아도 된 셈이오. 아쉬운 듯 헤어져 아직도 애들이 좋은 추억으로 어머니 할머니를 기억하니 괜찮은 죽음이지. 나쁘지 않아. 운이 좋게도 고통의 시간은 짧았다오. 평생 약골로 살아 젊어서부터 통증이 몹시 싫었거든. 몸이 어딘가에 부딪히는 순간 이렇게 죽는구나, 싶긴 했지. 몹시 아팠고 겁도 났다오. 아차, 하는 순간에 정신을 잃었으니 그나마 다행이었지만.

너무 자책하지 말우. 난 괜찮다오.
오히려 젊은이 손에 피를 묻히게 한 것 같아 미안하구려.

林谷 한기정

thoth52@naver.com

이화여자대학교 특수교육과 졸업(문학사)
이화여자대학교 대학원 교육학과 졸업(문학석사)
단국대학교 대학원 교육학과 졸업(교육학박사)
이화여자대학교 연구원, 미국 워싱턴주 한인생활상담소(KCCC) 상담원
이화여자대학교, 단국대학교, 성신여자대학교, 동덕여자대학교 등에서
강의
중앙대학교, 경인교육대학교 겸임교수
성남시 장애인주간보호센터 소장
강북장애인복지관 자문위원

수상 및 등단

2009년 송파문인협회 제1회 한성백제 백일장 일반부 금상/
　　　작품명 '젖은 가을, 상선에게'
2011년 현대수필 등단 및 신인상 (수필)/ 작품명 '플라스틱 슬리퍼'
2017년 문학시대 등단 및 신인상 (시)/ 작품명 '고니'가 오는 날 외 9편
2021년 구름카페 문학상

수필집 『어찌 지내십니까』 『울 것 같은 그녀와』 『함께 탱고를…』
　　　『꽃이어라!』

이화여자대학교 이화문학회 수필부장, 서초수필문학회 회원,
현대수필문인회 회원, 한국문인협회 회원, 한국 펜클럽 회원,
이화동창 문인회 회원, 한국 여성문인회 회원,
한국 문인협회 문학 유적탐사위원

〈전공 관련〉

저서 「특수유아교육」, 「아동미술과 특수아동미술」 외 다수

논문 「유아의 창의성 교육을 위한 철학적 심리학적 기초」 외 다수

수상 한국사회복지협의회 주최 제4회 사회복지논문 현상모집
　　　장려상 제목; '학령 전 정신지체아 교육 프로그램의 사례연구'
　　　이화여자대학교 10년 근속 상

〈그림 관련〉

서울미술제 초대작가, 심사위원

한국 정신지체인 애호협회 주최 전국 정신지체인 작품전시회 심사위원

서울미술제 주최 파인힐 갤러리(미국 뉴욕시), 해롤드 센터(미국 뉴욕시)
그룹전 초대작가

북미 한인미술협회 그룹전(미국 워싱턴주 시애틀시) 참가